에꼴 드 창동

개정 창동 인 블루

발 행 | 2024년 05월 23일
저 자 | 김준형
펴낸이 | 한건희
펴낸곳 | 주식회사 부크크
출판사등록 | 2014.07.15.(제2014-16호)
주 소 | 서울특별시 금천구 가산디지털1로 119 SK트윈타워 A동 305호
전 화 | 1670-8316
이메일 | info@bookk.co.kr

ISBN | 979-11-410-8646-6

www.bookk.co.kr
ⓒ 김준형 2024

서문

이 글은 등장인물 Gg의 개인적인 회상록이다. 글 속의 일인
칭 인물인 '나', 즉 Gg는, 자신의 기억 속에 떠도는 소중한
것들을 엮어 이 창의적 논픽션(Nonfiction)을 이어간다. 전체
적으로 사실에 바탕을 둔 이야기이지만, 기억 속의 것들이라
불가피하게 허구적 요소가 가미 되어있다:

어린 시절 집 앞 바닷가의 은빛 반짝임의 아침 바다, 20대에
결핵요양원에서 보낸 4년간의 긴 투병, 마산의 창동화가들의
그림 이야기, '리듬이 있는 자유로운 산문은 어떻게 써야 하는
가'라는 주제를 향해 나선 고독한 문학 여정, 아서 단토
(Arthur Danto)가 그의 책, '예술의 종말 이후'에서 피력한
현대회화의 흐름의 진실이 그에게 준 충격, 그리고 안달루시아
집시들의 표현주의적 플라멩코 예술 등이 그것이다.

이른바, Gg의 기억 속에 아른거리는 것들을 물리적인 시간의
흐름에서 벗어나 자유롭게 이어 놓은 이 산문체의 구성은, 비
록 드라마틱한 기승전결을 갖춘 고전적 소설체는 아니지만, 내
면적으로 유기적 형식을 띠고 있다. 따라서 이 글을 소설체로
보아도 좋고, 개인 수필로 여겨도 무방하다. 특별히 이 글의
제 1부 마지막 장이 되는 <천주산의 대금산조>는 극적 요소로
구성하는게 더 어울리겠다는 판단 아래 연극 대본의 형식을 취

3

하였다.

이 책은 두 부분으로 나누어져 있다. 첫 번째 부분은 앞에서 말한 대로, Gg의 기억의 산물이다. 이른바, 창의적 넌픽션이다. 그리고 두 번째 부분에서는, 자신에게 어울리는 글은 무엇을, 어떻게 써야 할지를 두고 사색하고 체험한 글을 담았다.

첫 부분인 1부는 다음의 주제의 글들로 이루어져있다:

젊은 날의 콧수염 / 런던에서 책 카페 소사이어티를 사다 /

1960년대 이래의 마음의 빛 / 창동의 5인의 화가들 /

뉴욕의 노화가 PoKim의 향수/ 이웃 화가들의 그림/ 천주산 고개 위의 대금산조.

그리고 두 번째 부분인 2부는 글쓰기에 관한 Gg의 사색과 체험을 다음의 주제로 피력하였다:

글은 무엇으로 쓰는가? / 생각하는 손 / 몰입과 영감 /

열망 / 산문시에 대하여 / 보내지 못한 이메일 / 10편의 단상.

신기하게도, 그에게는 비교적 근자의 체험보다 먼 과거의 기억이 더 생생하다. 소년기 시절 집 마당에서 밤낮 마주하던 은빛 반짝임의 아침 바다와 20대에 결핵요양소에서의 절망적인 투병생활 등이 특히 그러하다.

끝으로, 저자는 글쓰기의 덧없음을 알면서도, 그 운명적인 매혹에 속절없이 붙들려 있었다.

목차

1 부

그대 눈에 비치는 것이 순간마다 새롭기를!
　　　　　　　　　-앙드레 지드 (Andre Gide)-

1. 젊은 날의 콧수염

1

　나는 오래전 20대에 폐결핵에 걸려 외딴 요양원에서 4년이상
의 세월을 보냈다. 다수의 환자는 수술을 통해 치료할 수 있었
으나, 내 경우에는, 양쪽 폐 모두 심하고 넓게 결핵에 걸려있
었던 중증 상태로 수술마저 불가능했었다. 요양원에서의 격리
생활 중 한동안 내가 원했던 것은 편안하게 숨을 쉬는 것뿐이
었다. 계속되는 기침은 말로 표현할 수 없는 고통이었고, 특히
나 숨을 내쉬거나 들이쉴 때마다 목구멍까지 올라오는 비릿한
냄새가 가장 두려웠다. 그 냄새는 객혈의 징후였다. 나는 잠
못 이루는 밤을 보내야 했고, 그로 인해 눈은 벌겋게 충혈되어
있었다.
　지금이 이르러, 그때 그렇게 보낸 4년간의 시간은 꼭 꿈속
이야기 같다. 케츠킬 산에서 립반 윙클이 술에 취해 잠시 잠들
었다 깨어나 내려와 보니 몇십 년의 세월이 흘렀다는 '와싱턴
어빙 (Washington Irving)'의 글에서처럼, 내가 비실재의 산속
에 있었던 느낌이다. 그 요양원의 병실 앞 창밖으로 벚꽃나무
들이 줄지어 서 있었다. 잠들기 전 눈앞에 보이던 활짝 핀 벚
꽃이 다음 날 아침에는 흔적 없이 사라지고 마는 것이다. 그다
음 날도 마찬가지였다. 저녁녘에 창밖으로 보이던 만개한 벚꽃

은 다음 날 아침에 일어나 보면 다 지고 앙상한 빈 가지만 남아 있었다. 그다음 날도 그러했었다. 그렇게 병실 창밖에서 나흘 동안이나 일어나던 벚꽃의 만발함과 사라짐의 환몽을 겪은 후, 그동안 낯설게 변한 바깥세상으로 내려왔었다. 무엇보다 내가 그 산에 머물러있는 동안 부모님이 자신의 이름을 지금의 Gg로 바꾸어 놓기까지 하였다. 아들의 병을 낫게 하려고 급기야는 무속의 권유를 받아들여 그렇게 하였다는 것이다. 그래서 나는 20대 후반에 현재의 이름인 Gg로 불리고 있는 것이다. 호적에 그렇게 올려놓았기 때문이었다.

그 요양원은 히말리아 시다 숲이 우거진 언덕을 끼고 있었고, 그 검은 숲속의 겨울은 바깥세상보다 훨씬 추웠다. 불규칙적인 체온 변화로 고통받는 대부분의 환자들은 날씨에 민감하고 감기에 대한 두려움이 컸다. 끔찍한 기침이 유발되기 때문이었다. 그렇지만 저녁 무렵 눈이 오거나 하면 그 오래된 목조 건물의 복도가 활기를 띠기 시작했다. 복도에 전등이 켜져 바깥의 어두운 숲을 배경으로 한 폭의 그림 같은 풍경이 연출되었다. 그 숲속에서 투병 생활 중에 나는 처음 한동안 우연히 콧수염을 기르게 되었고, 긴 절망의 기간 내내 머리맡에 현대 회화집을 두고 지냈다. 독서보다 그림책 보기가 무료함을 이겨내기에 훨씬 도움이 되었다. 바싹 마른 얼굴을 덮고 있는 무성한 수염을 이따금 면도하였는데. 어느 하루 면도를 하면서 무심코 윤기 도는 수염만 남긴 채 면도를 하게 되었다. 어쩌다 코 밑의 윤기가 흐르는 털을 그대로 남기고 싶은 마음이 불현듯 생겼다. 머리맡에 둔 책, '짜라투스트라는 이렇게 말하였다

'의 책표지가 내 눈길을 끌었건 것이다. 니체의 콧수염이 아름답게 보여서 그러했을 것이다. 그리하여 코밑 아래에 자란 무성한 털은 그대로 남겨두었다. 그런데 희한하게도 손거울 앞에 두고 윤기를 내며 자라는 콧수염을 다듬는 일에 몰입하는 동안은 그 참을 수 없는 기침의 고통 자체가 잊혀지는 것이었다.

그 결핵 요양원에서 바라는 것은 오로지 편안하게 숨 쉬는 일이었다. 그 외 다른 희망은 가질 수도 없었다. : 아침에 눈 뜨면서 호흡을 의식하는 일은 대강 이러하였다. 잠에서 깨어나면 밤새 목 안에 고인 누른 담과 가래를 조심스런 기침으로 긁어 올린다. 그리고 숨소리에 섞인 탁한 소음이 더 심해졌는지 느껴보며 조심스럽게 숨을 들이마신다. 그리고 이어 연속되는 기침 소리를 달고 세면장으로 향한다. 세면장 나들이는 단순히 세수만을 위한 것이 아니다. 지난밤을 별 탈 없이 보냈음을 이웃 환우들에게 알리는 일이기도 하였다. 혹시 아침부터 열이 오르면서 폐 상태가 심하게 나쁜 가슴 쪽에 기분 나쁜 답답함과 통증이 느껴지면 그날은 아침부터 기침을 조심해야 한다. 만약 아침에 눈 뜨면서 의식되는 호흡에서 여느 때와는 달리 고양이의 그르렁거림 같은 잡음이 감지되면 이것으로 인해 혹시 불길한 예감이 들어 타구에 뱉은 누른 담과 끈적한 가래를 두 손으로 뒤적여본다. 혹시 거기에 핏기의 흔적이라도 있으면 즉시 침대에 누워 두 눈을 천장으로 모은다. 객혈이 또 시작될까 봐 두려워서 그러는 것이다. 그때 눈에는 이제 다시는 저 아래 바깥세상에 다시는 살아 내려갈 수 없으리라는 이루 말할 수 없는 절망감으로 눈물이 고인다. 지금도 그때의 콧수염 다

듣기는 기억에 생생히 남아 있다. 아침마다 까맣고 실하게 자라 올라오는 콧수염을 작은 가위로 다듬고 무질서하게 자라는 부분을 손톱깎기로 뽑는 일에 몰두하느라 기침하는 것조차 잊게 되었던 것이다. 그 때 산속에서의 그 절망감을 이겨내는데에는 다른 무엇보다 콧수염 다듬는 일이 으뜸이었다.

 그 결핵요양원에서 나의 콧수염에 경의를 표하며, 그것으로 인해 나를 우러러보는 동료 환자가 둘이 있었다. 청각장애가 심해 정상적인 소통이 어려운 곽씨라는 30대의 청년과 그리고 바깥세상에서 탱고 춤으로 이름을 날렸다는 키 크고 날씬하게 생긴 '탱고'라는 별명을 가진 40대의 남자가 그들이었다. 그 두 동료 환자는 내가 입원한 지 한 1년 지날 즈음에 거의 동시에 위독한 상태여서 부축된 상태로 입원했었다. 그 둘이 병실에 죽은 듯 누워 지낸 지 한 일주일쯤 지나면서부터 위급한 상태에서 벗어나기 시작했다. 마스크를 한 채 콜록거리면서도 병실밖 복도쪽으로 얼굴을 내밀기 시작했다. 그리고 이어 점차 복도벽을 한 손으로 잡고 걸어다나기 시작했다. 처음 병원에 그렇게 실려 들어와 6개월에서 1년이상 장기 입원하여 지내는 것이 대부분의 경우였다. 그 사람보다 일년전에 입원한 나는 겉보기와는 달리 폐결핵이 회복이 어려운 중증상태였었다. 그 둘과 나는 같은 단층의 목조 건물 병동의 긴 복도에서 아침마다 세면장에서 만나는 사이가 되었다. 그 둘은 나를 처음 대하는 나를 존경하였다.

 특히 곽씨는 나를 보면 우러러보는 몸짓으로 자리에서 일어나기 까지 하였다. 그는 겸손한 자세로 나의 빛 바랜 포도빛

환자용 유니폼과, 다른 누구에게도 없는 잘 다듬어진 콧수염에 신기함과 경의를 표하였다. 그러던 그 곽씨가 어느날엔가 나의 가는 팔목을 조심스럽게 잡아본 다음 자신의 것과 비교하듯 재 보더니 의미있는 미소를 띠었다. 나의 그의 이 미소에 품위를 갖춘 미소로 답례하였다. 그리고 며칠이 지날 무렵, 이번에는 둘이서 목욕을 함께 하게되었을 때 내 등을 밀어주고는 나의 발목을 자연스러 잡아본 다음, 역시 자신의 것과 비교해보고는 혼자서 고개를 끄떡였다. 그리고 마지막으로 타월로 내 뒷목을 닦아주는 사이에 내 목 둘레를 자신의 것과 제빨리 비교하였 다. 나는 그에게 다정한 눈인사로 고마움을 표하였다. 그리고 며칠 후 여럿이 함께 둘러않는 내 옆으로 다가오더니 선 채로 나의 목둘레와 자신의 것을 손으로 재어보며 비교하는 것이었 다. 이번에는 그의 손놀림이 전과는 달리 조심스럽지 않았다. 그의 다소 거친 이 마지막 행동은 알고보니, 내가 자신에 비해 열등한 존재임을 확인하는 점검의 마무리 절차였던 것이다. 그 의 태도가 내게 당당한 자세로 표변한 것은 이런 세차례의 과 정을 거친 후 부터였다. 이제까지 나에 대한 그의 겸손과 존경 은 무시로 바꾸었고, 나를 향해 오만한 태도를 보였다. 휴게실 의 동료환자들 앞에서 자신이 나보다 훨씬 우월한 존재임을 확 인하기 위해 내게 심부름을 시키기 조차 하였다. 특히 여자 환 자들이 모인 휴게실에서 우유 한 컵을 채워서 가져다 달라고 부탁했다.

그와 대조적으로, 40대의 키 큰 '탱고'는 그가 요양원을 떠 나는 바로 그 날까지 한결 같이 내 콧수염을 우러러보았다. 그

역시 응급환자로 입원하였고, 다른 환자보다 침대에 더 오래 누워있었다. 그는 의자에 혼자 앉을 수 있을 만큼 회복되자 기를 쓰고 복도로 얼굴을 내밀었다. 혼자 벽을 잡고 설 수 있을 정도로 회복되자 복도의 끝쪽휴게실로 걸어나와 다른 환자들 틈에 그의 천성인 장난기를 발동시키는 것이었다. 베개를 안고 혼자 탱고를 치는 모습을 연출하면서 주변을 웃겼다. 그는 자주 맛있는 음식이 생기면 그걸 들고 내 병실로 찾아오기를 좋아하였다. 나의 콧수염은 그에게는 경이로움의 대상이었다. 자신은 감히 엄두조차 내지못한 그런 매혹적인 콧수염을 자신보다 훨씬 나이 이런 내가 당당히 기르고있었기에 그에게는 내가 존경스러워보였던 것이다. 그는 나를 가까이 하려 애썼고 나에게 더 관심을 갖게되었습니다. 키 크고 날씬한 탱고의 큰 눈은 장난기로 가득했으며 자신의 병세가 고질적인 것임을 잘 알면서도 그는 이를 전혀 개의치않았다. 그의 기침소리는 유난히 크게 울리고 그 때마다 멍게 속덩이 만한 객담을 뱉어내기 때문에 사람들은 그를 '골병기침'이라고 부르기도 하였다. 그를 기침을 하면서도 걸어다니며 중얼거림을 멈추지 않았다. 그는 사뭇 진지한 표정으로 오래된 유행가 '신라의 달밤'을 연신 흥얼거리곤 했다. 그의 입에서는 '불국사바아에 조용소리이'와 '지이나아아가아는 나아그어내에여...'의 음절들이 끊길 시간이 없었다. 그렇지만 곡조가 끝나기도 전에 터져나오는 그의 골병기침으로 더 이상 목청 돋우기가 어려우면 그 '신라의 달밤' 대신 나를 통해 외우게 된 멕베스의 한 구절, '우리는 모두 의미없는 말을 중얼거리며 걸어다니는 그림자에 불과할뿐......'

으로 바뀌는 것이었다. 그리고 한 참 뒤에는 그의 커다란 눈을 껌 "だ見ㄷ 유치한의 싯귀 한토막을 외우기도 하였다. 나는 혼자 자주 그 깃발의 싯귀를 나를 흉내어 암송였던 것이다: "이것은 소리 없는 아우성. 저 푸른 해원을 향하여 흔드는 영원한 노스탈지어의손수건… '. 더우기, 그는 베게를 안고 탱고춤을 추면서 "세상은 깊고 슬픔은 더 깊다.'를 내 뒤를 따르며 암송하는 것이었다.

산속의 시간은 그렇게 흘렀다. 그 누구도 산속생활에 지루함을 느끼지도 않았고 하루 하루의 삶을 의식하지도 못했다. 그 히말리아 시다 숲은 연극 무대의 공간이 되고, 환자들은 저마다 배우가 되어 시간의 흐름을 잊고 지냈다. 마침내 나의 콧수염을 부러워하던 그 두 사람, 곽씨와 탱고는 그 곳을 떠났다. 곽씨가 앞서 떠났고, 탱고도 뒤이어 떠났다. 전자는 떠날 때에 자신의 만족스러운 회복에 기뻐하였고, 후자는 엑스레이 상으로는 병세에 아무런 진전이 없었으나 더 이상 요양원에 머물 형편이 되지못하였다. 그는 떠날 때에도 '불국사바에 조용소리이 들리어 오온다아 ,지이나아가아는 나아그어 네에여!'를 천연덕스럽게 흥얼거렸다. 그 둘이 떠난 후 그 빈자리는 나게는 견디기 힘들 만큼 뚜렷하게 의식되었다. 나는 텅빈 공간이 두렵기까지 하였고 새삼스레 나를 절망의 늪으로 빠뜨렸다. 나는 나의 병세가 어떤 종류의 것인지, 그리하여 다시는 저 아래 세상으로 내려갈 희망을 잃고있음을 뼈저리게 의식하였다. 그리하여 한동안 혼자 그 산속 호수 주변을 맴도는 일이외에 아무것도 할 수 없었다.

2.

나의 두 친구가 요양원을 떠난 후, 나는 독서에 몰두하면서 비로소 절망감을 견디어낼 수 있었다. 그 중에서도 특별히 현대미술 관련 회화집을 머리맡에 가까이 두었다. 병실의 침상에 누어 보내는 시간이 많으므로, 자연히 읽기 위한 책보다는 보기 위한 미술책을 선호하게 되었다. 그러다보니 다양한 현대미술가들을 알게 되었고, 현대 회화에 대한 이해력이 남들보다 더 높아졌다. 현대미술은 전통적 예술의 특징인 대상의 묘사에서 벗어나 추상을 지향하는 추세로 흐르고 있음을 알게되었다. 즉, 회화가 더 이상 대상을 사실적으로 표현하는 것에서 벗어났다는 점을 이해하기 시작했다.

내가 다양한 미술서적 중에서 특별히 찰스 웬팅크(Charles Wentinck)의 '원시미술과 현대미술'을 보고 읽었던 것이 유난히 기억에 생생하다. 그 저자에 따르면, 원시인들이 이러한 조각품을 창작한 것은 자신의 삶에 닥친 두려운 변화에서 벗어나고자 하는 간절한 염원에서 비롯되었다고 한다. 말 그대로 하루하루를 살아온 원시인들은 오직 당면한 상황만 인지하고 상황이 발생하면 본능적으로 반응했다고 작가는 말이 내게 깊은 인상을 주었던 것이다. 나는 그 책을 통해 원시인들이 주술적 의식이나 원시종교의 의식을 위해 만든 조각품과 현대미술가들이 순수예술을 위해 제작한 미술 작품들 사이에 깊은 연관성이 깊음을 신기한 눈으로 지켜보았다. 무엇보다 그 고급스런 회화집에 담긴 회화와 조각품 사진이 주는 시각적 즐거움을 맛볼 수 있었다. 특별히 로댕의 조각 '입맞춤'과 부란쿠시의 동명의 조각품을 비교해 보는 즐거움이 여간 아니었다. 전자의 작품은 생생한 사실주의 스타일을 추구했고, 후자의 작품은 조각가의 손이 거의 가미되지않은 대리석 덩어리처럼 보였다. 나는 전자의 살아있는 듯한 리얼한 표현력에 감탄했지만, 후자의 단순함은 주제의 본질을 그대로 상상케 하였다. 대리석 덩어리의 그 단순한 형태는 내 시선을 더욱 강하게 붙들었다. 내가 처한 절망적인 상황을 잊어버릴 정도로 나는 그 원시미술과 현대미술책에 몰두했었다. 나는 영어사전을 곁에 두고 그 책을 세밀히 정독하기 시작했고, 급기야 혼자 그 회화집을 번역까지 시도하였다. 물론, 출판할 생각은 아니었고, 단지 장기적인 질병과 싸우면서 겪는 심리적 불안을 잊고 싶었을 뿐입니다. 그리고 다른 미술서적에도 점점 관심을 가지게 되었고, 뭉크(Munc), 피카소, 모딜리아니(Modigliani) 등 현대 미술가들의 이름과 작품을 접하게 되었다. 절망의 파도가 휘몰아치는 뭉크의 작품 '외침'에 더더욱 깊이 공감하였다. 구불구불한 회색빛 하늘을 배경으로 사선을 이루고 있는 다리는 다리 위에서 비명을 지르는 사람의 얼굴이 그 작품이었다. 특이하게도 뭉크의 글은 그의 그림보다 더 잘 말해주었다. "나에게 불안과 질병이 없었다면 나는 방향타 없는 배 같았을 것이다" 라는 그 회가의 짧은 글은 매혹적이었다. 고대 이집트 그림과 현대 인상파 화가들의 그림도 흥미로웠다. 전자에는 삶의 영원성에 대한 인간의 갈망이 있었고, 후자에는 순간의 의미에 인간의 집착이 있었다. 고대 이집트인들은 변화무쌍한 사물의 인상을 세세하게 묘사하기보다는 사물의 특성을 단순화하여 더욱 완전하고 변하지 않는 형태로 표현하고있었다.

어쨌든 나는 그 곳에서 나를 짓누르는 절망과 심리적 불안을 이겨내기 위한 한 방안으로 택한 회화집은 의외로 현대미술과 문학에 대한 나의 감수성을 크게 키워주었다. 미술책을 손에 잡아 페이지를 넘기던 중 피카소의 '늙은 기타리스트'에 눈길이 갔다. 그 그림이 내 마음을 끌었다. 그 '늙은 기타리스트' 그림속에는 나뭇가지처럼 늘어진 길고 가느다란 손가락, 낡은 옷 사이로 드러나는 앙상한 어깨, 고개를 깊이 숙인 자세, 인생에서 더 잃을 것이 없다는 듯 체념한 표정이 그 늙은 기타리스트의 모습이었다. 이 그림을 보는 사람이라면 누구나 그림속의 차가운 주변 색감과 한 늙은 기타리스트의 체념한 표정이 주는 시적 우수를 맛볼 수 있을 것이다. 이 작품은 피카소의 이른바 '청색시대'의 작품이다. 그가 1903년경 청년 시절에 그린 그림이다. 이 시기에 그는 주로 진한 청색이나 청적색의 그림을 그렸다. 그는 당시 친구 카를로스 카사체바스의 자살에 충격을 받았고, 사회적 약자들의 삶을 암울한 톤으로 그렸다고 한다. 그는 17세기 화가 엘 그레코(El Greco)의 매너리즘 양식이 그의 작품 '늙은 기타리스트'에 영향을 미쳤다고 회상했다. 엘 그레코는 비정상적으로 길쭉하고 뒤틀린 인물을 주로 그리면서, 상상력과 직관을 기본원칙으로 삼은 화가였다. 그의 회화에는 작품속에 그려진 인체들마다 환상적으로 변형되어 표현되었다. 피카소는 노년기에 엘 그레코와 렘브란트를 위대한 예술가로 회상했다고 한다. 엘 그레코는 척도와 비율 같은 고전주의적 기준을 폐기했다. 엘 그레코는 색을 회화에서 가장 중요하고 통제할 수 없는 요소로 여겼으며, 색이 형태보다 우선한다고 선언했었다. 그는 유난히 키가 크고 날씬한 인물과 길쭉한 구도를 선호하여 그의 표현력을 높인 화가였다.

다음으로 화가 엔소르(James Ensor)의 그림첩에 나의 시선이 멈추었다. 이 화가의 경우, 나는 그림보다는 작가의 삶과 예술관을 다룬 비평의 글에 더 끌렸다. 엔소르는 북유럽의 해변에서 태어났기 때문인데, 그의 그림에 영감을 준 곳은 어린 시절의 바다였다는 글이 나의 눈길을 끌었다. 엔소르의 유년시절 어느 날 밤, 램프의 불빛에 이끌려 커다란 바닷새가 방으로 날아드는 놀라운 광경이 화가의 마음속에 생생하게 남아 있었다고 적혀 있었다. 바다는 날씨에 따라 색과 형태가 끝없이 변하는 생명체라는 화가의 말에 나는 전적으로 공감하였다.

엔소르는 어렸을 때 무서운 거미, 큰 바다거북, 기괴한 인어, 이국적인 동물 인형, 빨간 늙은이 등 어두운 창고에서 본여러 가지 특이하고 이상한 기념품에 대한 환상으로 가득 차있었다고 회상했다. 그는 청년 시절 다락방 서재에 묻혀 근처바다에서 들려오는 바다 소리를 들으며 에드가 앨런 포, 보들레르, 오스카 와일드의 책을 읽었다고 회고하였다. 그의 그림'큰 바다'는 색상의 밝기와 불분명한 형태 때문에 터너(Joseph Turner)의 '노예선'이나 '바다 위의 폭설'을 연상시켰다. 나는

20

그의 그림첩에 추가된 글을 보며, 지금은 사라진 나의 소년기의 집 앞 마당 앞 바다를 회상했었다.

특히 이 화가의 문학적 소양이 내게는 경이로웠다. 그의 그림 '이상한 가면' 옆에 다음과 같은 문학적 표현을 덧붙여 내 눈길을 멈추게 하였다. '사람이 가면을 쓰면, 가면은 그것을 쓴 사람의 얼굴이 된다.' 이 구절 뒤로 내 안에서 물음들이 꼬리를 물고 이어지는 것이었다: "이게 무슨 뜻일까?", "가면 뒤에는 인간의 위선과 음모, 허영심, 온갖 비열한 욕망이 숨어 있다는 뜻인가?", "이 화가는 모든 규범과 법칙에 대한 참을 수 없는 혐오감을 표현하기 위해 가면의 잔인하고 끈끈한 웃음을 사용했다는 말인가?" 한마디로, 빛과 어둠이 함께 춤추는 이 화가의 그림에서는 인간의 가식을 조롱하는 가면이 곳곳에 담겨 있었다. 엔소르는 어린 시절 파도소리가 끊임없이 들려오는 해변에서 축제일이면 이웃들이 기괴하고 무서운 가면을 쓰고 춤추는 모습을 보고 깊은 감명을 받았다고 말했다. 그는 어렸을 때 다락방 창문을 통해 유백색 바다를 내다보며 해변에 부서지는 파도의 끝없이 신비로운 소리, 반짝이는 은빛 색상, '요정들의 몸짓'과 끊임없이 변화하는 바다에 매료되었다고 말했다. 바다의 악마적인 폭력성! 이런 그의 말들은 어린 시절의 해변을 떠올리게 하였다.

한편, 반 고흐는 미술책 속 그림을 보면서 몇 번이나 의식적으로 외면했던 화가였다. 다른 화가들과 달리 반 고흐는 삶에 대한 열정이 너무 강해 가까이 다가서기가 두려웠다. 대조적으로. 르노와르의 그림에는 삶의 괴로움의 흔적이 없었다. 이 화가에게는 살아 숨쉬는 육체의 풍요로움과 아름다움 뿐이었다. 그림속의 풍만한 몸에는 슬픔이나 슬픔의 흔적이 아예 없었다. 그와 대조적으로 고흐에게는 기쁨의 색깔이나 표현이 없었다. 그에게 고통은 삶 그 자체이자 살아있음의 표시였다. 시간이 지나면서 고흐의 그림을 선입견의 무거움 없이 다가가자, 점차 그의 그림들은 '따뜻한 포옹'임을 깨닫기 시작했다. 나는 그의 '자장가'가 고통을 겪고 있거나 상처받은 사람들에게 특히 관련이 있다는 것을 알게되었다. 거친 손으로 수없이 힘든 일을 해왔던 어머니의 손이 담겨 있었다. 드라크로와의 <햄릿>에서는 아버지의 유령을 쫓는 나약하고 우유부단한 모습으로 햄릿의 고뇌를 읽을 수 있었고, 이 화가의 <혼돈의 학살>에서는 노파의 지극히 애처로운 눈빛을 읽을 수 있었다. 더욱이 뭉크의 '불안'에서는 피할 수 없고 무자비한 인류의 현실을 목격했고, 이 화가의 '병든 아이'는 고통받는 인간에 대한 깊은 연민을 느꼈다.

그러나 칸딘스키의 비대상 추상으로 눈을 돌리면서, '대상에 얽매이지 않고' 마음의 선율을 표현한다는 '즉흥'이 문득 나를 혼란에 빠뜨렸다. 화가는 대상을 염두에 두지 않고 어떻게 정신적 이미지를 그려낼 수 있을까? 이것은 낯설고 전혀 예상치 못한 일이었다. 그러다가 클레의 'R Villa'에 관심을 돌렸다. 그림에는 정사각형, 삼각형 등 다양한 모양의 단순한 기하학적 이미지가 고풍스러운 집을 이루고 있었습니다. 클레의 그림에서 대상과 전혀 관계없는 마름모 모양의 형상과 원형의 선들이 흐릿한 시골길로 변하는 모습은 내게는 놀랍고 신선하였다. 이에 반해, 칸딘스키의 그림에는 대상을 암시하거나 이야기를 담고 있는 문학적 형식이 전혀 없었다. 그것은 순전히 충동적으로 그려낸 상상의 막연한 회화적 표현에 불과했다. 온갖 색과 형태의 선들이 화면의 중심을 향하고 있었다. 그 결과 그들은 서로 만나서 놀고, 노래하고, 때로는 부딪치고 소용돌이치며 생동하는 것이었다. 음악을 통해서만 느낄 수 있는 감정. 이 비물질적 추상화 앞에서 나는 아직도 작가의 의도가 무엇인지 알 수 없었다. 앞서 본 마티스의 '달팽이'의 경우, 대상의 형태나 감성적인 이미지를 연상시킬 수 있는 그림이었다. 모자이크 그림은 상상을 통해 그 달팽이의 이미지를 쉽게 떠올릴 수 있었다. 칸딘스키의 그림은 나는 공감하기 어려웠다. 순수한 추상의 세계는 도대체 무엇인가? 그의 추상회화에서는 선이 일반적인 회화에서 사물의 경계로 사용되지 않고, 화가의 자유로운 생각에 따라 평행선, 직선, 갈고리, 원대한 곡선 등으로 그려져 있다. 이 모든 형태는 특정한 대상으로부터 자유로웠다. 즉, 대상들과 아무런 관련이 없었다. 칸딘스키의 그림들 앞에서 나는 솔직히 당황스러웠다.

'선과 색 자체만으로도 그림이 되는 건가요?',

'그렇다면 도대체 그림이란 무엇을 의미하는 걸까요?',

'그림 속 의미가 없는 것이 그림이 된다면 어떻게 되나요?'

칸딘스키의 그림 앞에서 한동안 이런 물음들이 끊이징 않았다. 혹시나 해서 한걸음 더 나아가 몬드리안의 그림, '빨강, 노랑, 파랑의 구성' 앞에 섰다. 온 몸에 힘이 빠지는 것 같았다. 지금까지 추구해왔던 그림과 소통하려는 나의 노력은 헛수

고가 되었다. 몬드리안의 이 그림은 전체적으로 두꺼운 검은색 직선, 파란색, 노란색, 빨간색 가장자리, 보색에 가까운 표면으로 구성되어 있습니다. 적어도 음악에 있어서 칸딘스키의 즉흥 연주는 협주곡이나 소나타처럼 자유로운 상상의 여지를 제공했지만 몬드리안의 '즉흥 연주'는 그러한 연상을 위한 어떠한 공간도 제공하지 않았다. 주제에 대한 암시나 시적 여운도 전혀 없었다. 나는 공허함을 느꼈다. 내 머리 속이 텅 비는 것 같았다. 이들의 그림은 내가 더 이상 접근할 수 없는 그림의 영역이었다. 불현듯 몬드리안의 이 그림, '빨강 노랑 파랑의 구성' 앞에서 아득히 멀리서 꿈결처럼 익숙한 소리가 들리기 시작했다. 온 힘을 다해 나는 소리에 귀를 집중했다. 그 소리는 소년기에 늘 곁에 있었던 해안의 은빛 잔물결이었다.

2. 런던에서 책 '카페 소사이어티'를 사다.

1.

내 스스로 '마의 산'이라고 불렀던 그 요양소에서 나는 마침내 하산하여 집으로 돌아왔고, 얼마 후 이전에 다니던 대학으로 복교하여 가까스로 졸업을 했다. 그럭저럭 서울에서 취업도 하고, 결혼도 하였다. 그렇지만 여전히 몸이 약하여 서울처럼 번잡한 바쁜 대도시에 적응할 수 없어 고향으로 되돌아올 수밖에 없었다. 고향에 머물러 살면서 점차 몸과 마음이 꽤 건강해졌고, 마산의 중심지역인 창동에 있는 부잣집 아들들에게 영어를 가르치며 수년 동안 안정된 생활을 영위할 수 있었다. 그즈음 내가 가르친 한 학생의 어머니는 그녀의 외아들이 서울 명문대에 입학한 것에 대한 고마움으로 과외비 외에 덤으로 얼마간의 돈을 내 손에 쥐어 주었다. 그 보너스를 여행비 삼아 무작정 유럽으로 혼자 배낭여행을 떠났다. 당시엔 환율이 1달러당 800원 정도였었고, 게다가 노스웨스트의 할인 항공 티켓을 운좋게 구입할 수 있어, 혼자 여행길에 나설 수 있었던 것이다. 나는 그 때 세 도시에 가고싶었다. 하이드파크 공원이 있는 런던, 노트르담 사원이 있는, 파리, 그리고 베를린 필 하모닉 심포니의 건물이 있는 베를린에 꼭 가고 싶어 했었다.

나는 첫 도착지 런던의 도심을 돌아다니던 중 헌책방 노점에서 'Cafe Society'라는 책이 눈에 띄어 손에 들었다. 그 헌책은 노점에 펼쳐져 있었다. 부제목으로 달린 보헤미안의 삶

(Bohemian Life)이 특히 마음에 들었다. 나는 그 책을 사들과 읽기 시작했고, 다음 여행지인 파리에서도 이 책을 손에 들고 들고 다녔다. 그로부터 약 2년 후, 나는 그 책에 매달려 번역하기에 이르렀고, 결국 출판의 행운을 누렸다. 당시는 우리나라 출판계가 국제적인 주목을 받지 못하던 시절이었던 터라 번역에 따른 원저자의 승인을 구하는 절차가 따로 없었다. 나는 원저자의 원저자의 승인을 받아야 한다는 사실도 모르고 번역본을 출판하게 되었다. 그리하여 원저자의 승인과정을 거치지도 않고 무모하게 그 책을 번역하였고 출판까지 하게 되었다. 그 번역본은 운좋게도 언론계의 큰 주목을 받았다. 주요일간지들이 다투어 '카페 소사이어티' 번역서를 소개해 해었다. 그 이후로 나는 12권 이상의 문학적 창작 넌픽션과 산문의 책들을 발간하였고, 그리고 미국의 출판사를 통해 영문으로 창작한 문학적 논픽션 3권까지 출판했다.

그 카페 소사이어티를 번역출판한 경험은 내 삶의 중요한 전환점이 되었다. 그 책과의 운명적인 만남이 계기가 되어 글쓰기가 내 삶의 중심이 되었던 것이다. 그로부터 글쓰기를 하는 순간만은 삶의 무력감에서 벗어날 수 있었다. 그리하여 문학적 글쓰기가 현실적인 삶에 아무런 도움이 되지않았음에도, 나는 글쓰기 만이, 까뮈의 말 대로, 무의미한 나의 삶에 의미를 창출해준다고 믿었던 것이다. 지금도 내 곁에 놓여 있는 그 책의 원서와 번역서는 밤낮으로 열정을 다해 번역 작업에 전념하던 그 시절을 어렴풋이 떠오르게 한다. 1978년 영국에서 출판된, 스티브 브래드쇼(Steve Bradshaw)가 그 저자인, 카페 소사이어

26

티(CaféSociety)가 아직도 내게 의문스러운 점은 내가 어떻게 그 원서를 번역할 수 있었느냐는 것이다. 나는 영문학이나 현대 미술을 전문적으로 공부한 적이 없기 때문이었다. 게다가 영어는 나에게 그저 외국어일 뿐이었다. 나는 그 책에서 다음이 구절이 마음에 들었다:"거품이는 커피잔을 비우고있는 지성인 만이 진리의 참뜻을 안다 ." (The intelligent man who empties the cups of foaming coffee, he alone knows truth). 알듯 모를 듯 애매모호한 그 의미가 그저 좋았다. 그리고 원서의 첫 페이지 아래에 있는 샤르르 푸리에(Charles Fourier)의 말이 얼마나 흥미로웠는지!

"비빌스런 카발리즘적 기질은 인간의 진정한 본성이다. 비밀스런 음모는 인간의 잠재력을 배가시키고 지적 자원을 증가시킨다. 과장 섞인 도덕주의와 상투적인 겉치례 말들로 무성한 의례적인 공식 모임의 분위기를, 비밀스런 속삭임을 주고받는 사적 모임에서 지어보니는 그들의 파격적 기질로 가득한 모임의 분위기와 비교해보라. 그 때 그들은 당신에게 전혀 다른 모습으로 보일 것이다. 전혀 다른 인물로 변신한 이들의 넘치는 생동감, 재기발랄한 사고의 번뜩임, 그리고 행동과 결정의 민첩성에 찬탄을 금치 못할 것이다.

무엇보다 그 책에 등장하는 예술가들의 보헤미안적인 삶에 나는 홀렸다. 어렸을 때나 나이가 들어서도 '돈 버는 것보다 글 쓰는 것이 더 의미 있다'고 나는 생각했다.. 그래서 이 번역작업이 글쓰기를 위한 필수적인 준비 과정인 것처럼 여겨져 약 2년 동안 오로지 이 작업에 모든 열정을 쏟았다. 책의 곳곳에 몇 가지 프랑스어 용어들이 눈에 자주 띄어 번역하는 일에 먹었다. 그리고 다양한 문학적, 예술적 요소가 담겨 있었기 때문에 우리말로 제대로 옮기는 것도 쉽지 않았다. 번역작업에 열중하는 동안 이 원서는 나에게 아놀드 하우저(Arnold Hauser)가 『문학과 예술의 사회사』에 담긴 다음의 한 구절이 연상되기도 했다: "보헤미안의 마음에는 자신이 불행하다는 의식과 더불어 다른 행복한 사람은 천박하다는 인식이 깔려있었다.."

이 책, 카페 소사이어티는 부르주아 사회의 규범을 무시하는 태도를 보여준 대가로 부르죠아 사회로부터 철저히 외면당했던 보헤미안 예술가들의 비극적인 현실을 보여주었다. 커피 향이 가득한 카페는 이런 불행한 상황에 처한 보헤미안 예술가들에게 모닥불 같았다. 카페라는 공간은 보헤미언 예술가들의 얼어붙은 손을 녹여주는 , 말하자면 사마리아인의 마음과 같은 아늑한 안식처였다. 매혹적이게도 카페는 퇴폐와 황폐함이 동시에 싹트는 은밀하고 향긋한 공간이었다. 앞에서도 말했듯이, 나는 이 책을 충분히 이해하지 못하면서도 책 속에 등장하는 서양의 예술세계의 흐름, 이를테면 실존주의, 인상주의와 테카당스, 프랑스 혁명, '잃어버린 세대(lost generation) 등 유혹적인 위휘들에 이끌려 ">坪l 번역출간하였던 것이다.

당시에 나는 그 시대의 다양한 유럽 화가들의 예술 세계에 대해 충분히 알지 못했다. 이 책을 한국어로 출간하기 불과 6개월 전, 나는 구 소련의 지도자 고르바초프의 '새로운 정치적 사고'와 강대국의 평화적 공존에 관한 박사 학위 논문을 준비하고 있었다. 학위논문이 끝낼때까지 긴시간동안 나는 국제정치학을 전공하면서 미소 초강대국 간의 '데땅트' 연구에 심혈을 기울였던 것이다. 한 마디로, 그 기간 내내 예술과 문학의 세계에 대한 나의 앎은 상식적인 수준 정도였었다. 그럼에도 불구하고 나는 나의 전공과는 아무런 관련이 없었던 이책 '카페 소사이어티'를 번역하고 싶은 유혹에서 벗어날 수 없었다. 이 책의 저자는 파리, 런던, 비엔나, 뉴욕 등 유럽의 내가 모르는 다양한 지역들을 다루고 있는데다 내용 중에 불어 용어들을 빈번히 구사하고 있어 불어에 미숙한 나로서는 번역하기가 여간 쉽지 않았다. 이와 관련하여 저는 다음과 같은 한 마디 일화에 위안을 얻었다: "미국에 가본 적도 없는 중국 지도자 마오쩌둥이 가장 깊게 통찰한 지적 분야는 미국의 링컨 대통령에 관한 것이었다." 이 말이 사실이었는지 아닌지는 나로서는 알수 없었으나, 내 귀에는 솔깃한 말이었다.그리하여 논문 쓰기에 온 힘을 기울이면서도 나는 이 책을 소중하게 여겨 늘 곁에 두었다.

'카페 소사이어티'에는 카페 돔을 찾아가고 싶은 걷잡을 수 없는 충동에 한 청년이 갑자기 파리행 야간열차에 탑승하는 장면이 나온다. 카페라는 공간은 한겨울의 추위를 피해 찾아온 여행자들의 아지트이자 따뜻함 속에서 커피를 마시며 마주 앉아 바라보기만 해도 행복해지는 안식처였다. 책 속에 나오는 헨리 밀러(Henry Miller)의 아래의 인용문도 내 눈길을 붙들었다: "예술가는 결코 군중 속에서 성장하지 않는다. 개미는 그러하지만." 한편, 부르주아 사회를 경멸하고 그 대가로 그 사회로부터 완전히 외면당했던 보헤미안 예술가들이 자신들이 경멸했던 부르주아 사회에서 탄생한 카페에 모여 소외감을 공유했다는 아이러니를 그 책을 통해 맛보았다. 나는 단순히 이 원서에 매혹되어 아무런 준비없이 무모하게 번역작업에 긴 시간 몰입하였다. 엔터넷으로 번역기능을 활용할 줄도 몰라 그저 사전에만 의지한 채 적업하였다.

당시에 나는 그 때 박사학위 논문 '미·소의 평화적 공존'을 쓰고있는 정치학 전공자였었다. 대학에서 정치학을 공부하였고 그후 대학원에서 한 참 늦게 시작한 전공분야도 역시 정치학이었다. 이를 테면, 구 소련의 지도자 고르바초프의 '신사고'에 대한 연구가였다. 1992년은 공산주의의 초강대국 소련이 해체되고 그 자리에 새로운 강대국 중의 하나인 러시아가 탄생하던 시점이었다. 미소간의 냉전의 틀을 받치고있던 한 축인 초강대국 소련이 무너져 기존의 국제체제가 완전히 새롭게 형성된 세상이 되고말았던 것이다. 공산체제인 소련이 해체된 터라 나로서는 일시에 연구대상이 사라진 형국이 되고 말았던 것이다. 아무런 예고 없이 세상이 이렇게 경천동지할 변화를 맞이하였던 것이다. 그 책의 번역작업은 그런 상황속에서 내게 삶의 의미를 찾아주는 일이었던 것이다.. 참고 삼아, 그 때의 논문 '소련의 평화공존에 관한 연구'의 서문 한 토막은 은 다음과 같다:

"이 논문은 1917년 소비에트 체제의 탄생이래 시대의 흐름과 더불어 서방의 자본주의 체제와 소련을 중심으로 한 사회주의 체제 사이의 관계에 대한 소련지도자들의 인식이, 두 체제의 관계는 불가피하게 적대적이라는 기존의 이데올로기적 차원에서 점차적으로 '서로 적대적인 것은 아니다'라는 '신시고'의 차원으로 변화되어 왔음에 촛점이 맞추어져 이다. 구체적으로 사회주의 체제 대 자본주의 체제의 관계를 위한 하나의 원칙으로서의 평화공존이, 1945년의 새로운 국제체제 속에서 그 이론적인 틀로서 하나의 연속적인 과정을 보여주고 있음을 추적하는데에 그 목적을 두었다......."

2.

박사학위논문 준비 중에도 나의 머리속에는 카페 소사이어티가 생생하게 살아있었다. 논문 집필에 몰두한 사이 사이에 이 정치학 분야와는 전혀 관련이 없는 카페에 얽힌 이야기를 담은 '카페 소사이어티'를 훑어보며 책 속 화가들, 예를 들어 모딜리아니, 위트릴로, 드가, 세잔, 고갱,고호, 레제에 심취했었다. 내가 지금 현대회화를 좋아하게 된 것은 아마도 그 은둔지에서 4년 이상의 투병생활이 그 요인이었을 것이다. 그 때 유일한 소일거리는 고전음악 듣기,미술책 그리고 철학서 보기가 거의 전부였다. 토스토에프스키, 니체, 릴케,카뮈, 보드레르, 카프카 등의 글을 읽는 데에 빠져들었다. 니체의 ' 짜르투스타라는 이렇게 말하였다'는 문체에는 이해할 수없는 시적 울림이 있었고 글 속의 음악적 리듬이 나를 압도하였다.내가 그 산속 은거지에서 콧수염을 기르게된 데에는 니체의 이 책에 매료되면서 였다. 그리고 토마스 만의 '마의 산'은 몇 번이고 정독하였다. 알프스 산속의 한 결핵요양소를 중심으로 펼쳐진 그 소설에 나는 흠뻑 빠져들었다. 내가 머물렀던 결핵요양소를 '마의 산'이라고 부른 것은 그 책 때문이었다. 그리고 그 때 고전 음악 듣기는 필수적이었다. 그 곳산속의 연못가에 휴대용 축음기와 레코드판을 들고 나와 혼자서 음악듣기로 그 암울한 시간을 이겨내었다. 슈베르트, 베토벤, 슈만, 쇼팽, 드보르작 등은 늘 곁에함께 했었다. 나는 지금도 베토벤의 피아노 협주곡 5번과 푸치니의 오페라 '라보엠'을 비교해보기를 좋아한다. 베토벤의 이 피아노곡을 듣다 보면 누구라도 호흡과 맥박이 거칠어지고, 벅찬 감정을 억누를 수 없어 자신도 모르게 자리를 박차고 일어나게 되는 경험을 하게 될 것이다. 베토벤의 소위 '황제' 콘체르토 1악장의 시작 부분에서는 마치 자신을 향해 달려오는 사자를 마주하고 있는 듯한 느낌이 들 것이다. 이에 비해 푸치니의 오페라 <라 보엠>은 오히려 순수하고 예술 지향적인 영혼을 지닌 가난한 청년들에 대한 깊은 연민을 담고 있다. 나는 이 오페라를 들으며 오헨리의 단편소설 마지막 잎새에 등장하는 그리니치빌리지의 한 늙은 화가의 죽음을 연상했었다.

가끔 내가 번역한 카페 소사이어티 책을 펼치면 그 안에 담긴 글귀들이 몽롱한 환상을 불러일으켰다. 내가 젊은 시절을 보냈던 요양소의 쓸쓸한 바람소리, 나와 함께 있었던 귀머거리 곽선생과 장다리 춤꾼의 웃음소리가 되살아났다. 내가 사전 하나만 곁에 두고 1년 반 넘게 이 책 번역 작업에 몰두하게 된 것은 아마도 그 '마의 산'에 대한 향수 때문이었을 것이다. 그 때 귀머거리인 곽선생과 장난꾸러기 탱고는 나의 굵은 콧수염을 우러러 보았다. 그리하여 그 책 속에 등장하는 현미대술가들에 친숙하면서. 나는 그림에 대한 진정한 이해는 무엇보다 자신이 좋아하는 그림을 보는 것에서 시작된다고 믿게 되었다. 화가가 이 그림을 통해 무엇을 표현하려고 했는지, 수많은 표현 방식 중 하필 이 기법인가, 또한, 그림 속 사람들의 표정이나 풍경의 아름다움, 동물의 특징은 물론, 그림 언어, 즉 선, 형태 그리고 색채도 주목하면서 그림들을 보는 것이 즐거웠다. 그러던 어느 날, 샤갈의 그림 앞에 오랫동안 시선이 멈췄을 때, 그림 속에는 동물들이 공중에 떠 있고, 사람들이 창문을 통해 날아다니고, 바이올린이 스스로 춤을 추고 있었다. '공중을 나는 두 연인'의 그림에서는 두 연인이 서로를 껴안고 지붕 위로 날아다니는 모습이 그려져 있었다. 샤갈의 무중력 그림 속에는 동물들이 공중에 떠 있고, 사람들이 창문을 통해 날아다니고, 바이올린이 스스로 춤을 추고 있었다. 그의 그림을 보며 장 그러니에(Jean Grenier)는 이렇게 말한 적이 있었다.시험삼아 샤갈을 따라가보라 그러면 그 화가는 당신이 가고 싶은 곳 어디든 데려다 줄 것이다."

1992 당시에 나는 이 카페소사이어티를 순전히 수작업으로 하였다. 그리고 무엇보다 원문의 목차를 내 마음에 드는 부문, 이를 테면 화가 모질리아니 일화가 담긴 부분을, 앞으로 옮겨 놓았던 일이 기억에 남는다. 이 화가의 일화가 내게 깊은 연민의 정을 불러일으켜 원래의 원서 내용에서 다소 벗어날 정도였었다. 나는 그 원고뭉치를 들고 여러 출판사를 찾아다녔던 것이다. 그 때의 내 상황을 되돌아보면서 내가 얼마나 어리석었는지 생각하니 부끄러웠다. 얼핏 보면 다들 나를 품에 안고 사

무실로 갑자기 찾아온 나를 돈키오테로 생각했을 것이다. 당연히 나는 그것에 대해 크게 좌절했습니다. 그런 다음 며칠 동안 딸의 아파트에 머물면서. 우연히 딸아이에게서 바로 옆집 주인이 출판사 편집장이라는 소식을 듣게 되었습니다. 옆집 아줌마 주인과 잘 아는 사이이고, 함께 시장에도 갔다고 한다. 그 말을 듣자 귀가 솔깃해졌습니다. 그래서 운이 좋게도 옹씨 성의 편집장을 만나게 되었고, 그 분이 번역을 편집하여 출판하게 되었습니다. 이렇게 해서 뜻밖에도 원고를 출판할 수 있었고, 약간의 수수료도 받을 수 있었습니다. 출판사에서 출간된 번역본을 처음 받았을 때 황홀했고, 두 일간지에서 번역된 책에 대한 서평을 읽었을 때 너무 기뻤다. 나는 하늘로 날아가는 기분이었다.

나의 번역이 어떻게 이렇게 완성도 높은 책으로 변할 수 있었을까! 내게는 경이로웠다. 출판사에 넘겨 준 나의 원고에는 틀림없이 오류가 많았을 텐데, 교정 과정을 거쳐 출판된 그 번역서는 놀라울 만큼 정교해져 있었다. 글을 씀에 있어서 작가의 글 못지않게 편집자의 역할이 중요하다는 점을 뒤늦게 깨달았다. 지금 이 글을 통해서나마 카페 소사이어티를 출판해준 책세상 출판사와 그리고 옹씨 성의 그 편집장에게 다시 한번 감사의 말을 전한다. 다음은 한국의 주요 신문 중 하나인 조선일보와 일간스포츠에 게재된 두 서평의 글이다. 전혀 예상예상치 못한 일이었던지라 그 둘의 서평에 나는 얼마나 행복했던지! 먼저, 1993년 10월 23일 자 조선일보의 서평은 아래와 같다:

"카페라고 하면 술잔을 떠올릴 것이고, 연애를 연상시키는 무대가 될지 모른다. 색조는 도시적이고 감각적이다. 그러나 이 책은 카페의 보다 깊고 음울한 역사를 담고있다. 주로 19세기 말(혹은 20세기 초 유럽의 런던과 빠리,비엔나에 있었던 케페와 그 주변에 붙어있던 떠돌이 식객들이 등장한다. 보통 식객이라면 얘기가 되지않을 것이다. 당대를 풍미했던 예술가와 혁명가들이다. 카페는 그들에게 세상을 깜짝 놀라게할 '음모' 혹은 비밀 모임을 꾸밀 수 있는 부화장 같은 곳이 아니었을까?

'비밀스런 카발리즘은 인간의 잠재력을 배가시키고 지적 자원을 증대시킨다. 과정섞인 도덕주의와 상투적인 말들이 무성한 공식적 사회적 모임에서의 사람들의 표정을, 비밀스런 속삭임의 장소에서 지어보이는 그들의 음모적 기질로 가득한 표정과 비교해보라'.

책의 초반에는 불운의 천재화가 모딜리아니가 파리의 로통드 카페에서 5프랑에 한 사람의 초상화를 그려주고있는 장면이 나온다.'그는 여느 예술가처럼 넓고 검은 모자, 붉은 색 목도리에 갈색의 골덴 옷차림을하고 있었다. 때때로 그는 흰 손수건에 피섞인 가래를 뱉어내곤 하였다. 그이 눈은 술, 마리화나, 그리고 코카인으로 벌겋게 이글거리고 있었다. 만약 그 농도가 심하여 주체할 수 없는 몽롱한 상태로 빠져들면 그는 옷을 모두 벗어버리고 그 카페에 함께 있는 친구들과 싸움질을하고......

빳빳한 칼러의 흰 와이셔츠에 검정색 양복을 입고서 근엄하게 자신의 동료과 맥주를 마시는 러시아 혁명객 레닌, 더러운 망또를 망또를 걸친 채 압생트 술잔을 기울이는 시인 베를렌,...., 보들레르, 피카소, 고호, 드리이든 등을 이 책에서 만날 수 있다.

그리고 다음으로 1993년 11월 2일자 일간스포츠 신문의 서평은 또 이러하였다:

"당신은 카페에 왜 가는가?

단순히 식후의 커피 한잔을 즐기기 위해?

아니면, 간단한 각테일을 앞에 두고 친구들과 농담을 주고받기 위해서?

가볍고 세련된 인테레이어와 젊고 미끈한 종업원들에 익숙한 우리 카페문화에서 모딜리아니어ᅡ 세잔이 새로운 예술적 지평을 열고 트로츠키와 레닌이 미래의 세계를 은밀하게 도모하던 "袖막關 - 의 카페를 연상시키기는 쉬운 일이 아니다.

하지만 18세기 전반 영국의 전반 문예전성기 이후로 성행했던 카페가 문화예술계에서 차지하는 위치는 만만치 않다.

프랑스혁명,인상주의, 데카당스, 실존주의,초현실주의와 같은 이질적이며 반체제적인 운동들은 모두 담배연기 자욱한 어두운 카페의 구석자리에서 태동했다.

일종의 카페 문화사, 카페 소사이어티-스위프트에서 봅딜란까지의 보헤미안적 삶이 바로 이 책이다. 영국의 제널리스트 스티브 브래드쇼가 지은 이 책은 천재적 에술가들과 혁명가들의 카페에 얽힌 이야기가 생생하게 재구성되어있다. 모딜리아니가 스케치 한장에 500프랑을 주겠다는 한 영국인에게 1백 프랑이 아니면 안팔겠다며 벌컥 화를 내는 몽파르나스의 명 소 카페 로통드, 조나단 스위프트가 호기롭게 정신병자행세를 했건 윌즈 케피 하우스, 보들레르가 당대의 톱 모델 '검은 비너스' 잔 뒤발의 허리를 끼고 드나들었던 카페 디방 르펠즈티 등이 이 책에서 다시 살아 나온다. '카페 소사이어티'는 무일푼인 천재 예술가들에 대한 당시 사람들의 애정과 호기심, 그들의 기이한 행적은 물론 그들이 펼쳤던 문학과 예술, 혁명에 대한 담론 등을 풍부하게 포착해내며 한편의 잘 짜인 오페라를 접하듯 감동과 흥분을 선사한다. 유럽의 독특한 지명과 재담법이 다소 혼란을 주기는 지만 역자 Gg씨의 번역도 좋다."

3. 마산3.15의거 김용실열사추모 플라멩코공연

1.

2010년 12월 어느 추운 겨울날 저녁 지금은 고인이 된 두 친구와 함께 마산 자산동의 오복식당에서 망년회 겸 술자리를 가졌다. 지역의 한 언론사의 주필을 지냈던 홍중조씨와 그리고 315의거기념사업회 회장을 역임했던 김종배씨가 그들이었다. 마산고의 선 후배 사이인 홍 주필과 나, 그리고 마산 상고 출신인 김종배 회장은 오래전부터 이 식당에서 자주 만나 소주잔을 나누는 60대 후반의 노인들이었다. 그날 세 사람은 생선국이 전문인 이 식당 한편에 한가히 앉아 뜨끈한 대구 매운탕과 소주를 앞에 놓고 이런 저런 지난 이야기를 나누며 긴 시간을 보내고 있었다. 그런데 한 해의 미지막 달을 보내는 아쉬움를 서로 토로하던 중에 뜻밖에 김종배씨가 50년 전 1960년 마산 3·15의거를 회고하면서 그때 경찰의 총에 맞아 숨진 김용실 열사 이야기를 꺼내었다.

"마산고 친구들은 도대체 뭐하고 있는거요? 그가 죽은 지 벌써 50년이 지났는데, 그를 추모하는 집회를 여는 곳이 어디에도 없다니.

특히 ,Gg, 당신은 고등학교 시절 김용실 열사와 같은 반이었다며?

내가 졸업한 마산상고를 한번 생각해봐요.

대통령 선거당일인 3월15일 밤, 시위 현장에서 목숨을 잃은 마산 상업고 학생 김주열 열사의 흉상은 지금 모교 정문에 서 있다는 사실을 두 분 다 알고 계시잖소? 세상 사람들 모두 315 라면 누구나 경찰의 최루탄에 맞아 숨진 김주열을 떠올리고 있어요. 그렇지만 난 분명히 알아요. 그날 밤 김용실은 시위 현장의 선두에 서서 시위 학생들을 이끌었어요. 그는 누구보다 열렬히 반독재 구호를 외쳤던 사나이였어요. 현장에서 총탄에 맞아 쓰러진 의로운 용사를, 지금 놀랍게도 마산 사람 조차 아는 이가 없어요. 마산고 동문들은 지금껏 너무 무심했어요. 정말 안타가운 일이야."

그러면서 그는 나를 향해 대뜸 뜻밖의 제안을 하는 것이었다.

" Gg! 당신은 전에 마산 사람들의 관심을 모은 춤공연을 한번 주도해 본 경험이 있지않소. 벌써 4년 전이었던가. 그 때 당신은 미국의 플라멩코 댄서를 마산으로 초청해 멋진 공연을 선보였잖아요. 관객들은 그 생소한 플라멩코 춤에 너도 나도 열광하며 엥콜을 소리 소리 질렀어요

지금에사 자네에게 털어놓네만, 상업고에서 주판 놓는 일이나 배운 나조차 처음 보는 그 춤무대에 황홀해 했었다네. 참, 이상한 일이지 않는가, 그 낯선 춤이 공연장의 모든 관객의마음을 사로잡다니! Gg! 당신이 김용실 열사를 위해 한번 나서 보면 않되겠나? 그 때 마산 사람들을 홀렸던 그 이국적인 춤무대를 당신이 기획하고 치루어낸 경험이 있지않는가? "

김종배회장이 불쑥 내게 내민 그런 제안은 나에게는 의외였다. 그의 뜻밖의 제안은 마산 315의거와 관련하여 잊혀지지않

는 나의 아버지의 불행과 나 자신의 내면의 깊은 고통을 떠올리게 하였다. 돌이켜 보면, 1960년 대통령 선거날 집권당인 자유당이 대낮에 대놓고 저질런 선거부정에 분노한 마산 시민들이 대규모로 들고 일어난 사건이 곧 315의거였다. 선거투표마감시간이 지나 이미 어둑살이 깊은 밤시간이었으니, 거리로 걷잡을 수 없이 쏟아나오는 대규모 군중들과 이를 저지하려는 경찰과의 사이에 불가피하게 폭력적 사태가 일어나고 만 것이었다. 그 날 밤 십 수명의 젊은 희생자들이 현장에서 경찰의 총에 맞아 즉사하거나 병원으로 실려갔었다. 이때 마산상고 신입생이었던 김주열 학생이 경찰의 최루탄에 맞아 죽은 시신이 한참 시간이 지난 후 마산 앞바다에 최루탄이 얼굴에 박힌 채 떠오른 것이 나중 자유당 정권의 붕괴를 초래한 419 혁명의 도화선이 된 것은 이미 알려진 일이었다. 그로 인해, 마산 315의거라 하면, 마산 상고 학생이었던 김주열 열사의 주검 만을 마산 시민들은 생각하게 되었던 것이다. 어쨌거나 그 일은 이미 50년 전의 일이었다.

나는 김종배의 제안을 조용히 듣기만 하였다. 잠시 그 자리에 침묵이 흘렀다. 그 때 홍중조 선생이 신중히 입을 열었다. 그는 언론인 원로답게 당시의 정치적 상황을 비판적으로 회상하였고, 나의 아버지의 불행한 처지에 대해서도 냉철한 판단을 하였다.

" 당시에 여당으로 돌아섰던 국회의원, 시장 등 지도층 인사들의 집들이 데모 군중의 손에 처참하게 파괴된 모습이 지역신문에 났어요. 그때 Gg의 춘부장께서도 근 변을 당하였지요. 그 이름들은 전국의 일간 신문에도 나고요. 그때 이후 Gg 아버님은 몸을 피해 긴 시간 동안 마산을 떠났다고 들었습니다. 그전에 이미 마산의 국회의원과 Gg부친이 당적을 야당에서 여당인 자유당으로 옮긴 일에 대다수 시민들이 분노해 있었던 것이지요. 대통령 선거에 앞서 있었던 총선거에서 시민들은 민주당 후보를 국회의원으로 뽑아주었었는데, 그 국호의원과 그 핵심 인사들이 시민들을 배신하고 자유당으로 입당하고 말았으니! 시민들의 분노가 나중 대통령선거에서 그렇게 폭발한 것이었지요. 그건 정말 옳지못했어요. Gg의 아버지는 외압이 아무리 거세었어도 야당에 그대로 계셨어야 했는데! 아쉽게도 국회의원이 된 허 의원님과 그의 핵심 보좌관이셨던 아버지께서 뚜렷한 이유도 없이 여당으로 옮기자 마산 국민들의 배신감과 분노가 얼마나 컸겠습니까!"

그 날 밤 집에 돌아온 나는 50년 전의 일이 다시 떠올라 잠을 이룰 수가 없었다. 무엇보다 돌아가신 아버지를 생각하면 가슴이 아팠기 때문입니다. 아버지는 집안에 절대적인 존재였고, 고등학생이었던 나는 모든 것을 아버지에게 의지했었다. 아버지가 아니었다면, 결핵요양원에서 재정적으로 그 오랜 투병기간을 버티어내지 못하였을 것이고, 그후 긴 공백을 거쳐 복교한 대학을 별탈없이 졸업하지 못했을 것이다. 아버지가 당시에 운명적인 잘못된 길을 선택하지 않았다면, 집안도 파탄나지도 않았을 것이고, 당신 자신께서도 그렇게나 큰 대가를 치르지도 않았을 것이다. 불행중 다행으로 고향의 친구들의 도움으로 아버지는 마산에서 다시 사회생활을 영위할 수 있었고,

비교적 이른 나이인 60대에 세상을 떠나셨다.

　나의 경우, 315의거 날밤, 위기를 감지한 아버지가 우리 식구들을 피신 시켰고, 뒤이어 바닷가의 우리집이 기둥만 남긴 채 파손된 처참한 모습에 입은 큰 충격은 잊혀지지 않은 심리적 상처로 남았다. 무엇보다, 나와 같은 반에서 친하게 지낸 김용실이 경찰의 총에 맞아 숨졌던 사실은 심리적으로 씻을 수 없는 큰 충격으로 남게되었다. 마음의 고통이 되었다. 그 후 이래 나는 아버지를 부끄럽게 여기기까지 하였고, 고등학교를 졸업할 때까지 큰 길로 다니지 못하고 골목길을 택해 다니는 버릇이 들었다. 그 버릇한 가슴 아픈 나의 불효의 짓이었다. 나는 아버지에게 이루 말할 수 없는 은혜를 입고 살아왔었다. 내 평생 갚을 길이 없는 빚을 나는 아버지에게 지고 있었다. 특히, 4년간의 긴 투병생활을 아버지의 전적인 경제적 뒷받침으로 이겨내었고, 허약한 몸으로 다시 복교한 대학도 아버지의 재정적 뒷받침 아니었으면 졸업할 수 없었을 것이다. 그 이후에도 나는 끊임없이 아버지에게 의지하는 삶을 살아왔었다.

　돌이켜 보면, 2010년의 12월은 나에게는 특별한 은총의 날이었다. 그 해 마지막 달의 어느날 저녁 그 두 분- 김종배와 홍중조-과의 만남은 결과적으로 그 이전까지 나를 심리적으로 짓누르던 지울 수 없는 부채의식에서 벗어나게 해준 계기가 되었다. 그 술자리가 아니었다면, 그 이듬해 2011년 3월 초에 열렸던 잊지 못할 <마산 315열사 김용실 추모의 밤> 공연은 아마도 꿈에도 생각지 못하였을 것이다!　2010 12월의 그날 저녁은,

우연히도, 나의 선친에게, 그리고 친구 김용실에게 내가 짊어져야 할 마음의 빚을 다소나마 갚을 수 있는 계기가 되었던 것이다. 하여간, 그날 저녁 김종배 315기념회 전 회장 그리고 홍중조 전 언론사 주필, 그리고 나 셋은 술에 취하여 거침없이 나눈 대화는 다음과 같다.

김: " Gg! 김용실 추모 공연 아이디어 어때요? 당신이라면 할 수 있어. 공연 비용은 얼마나 드는지 말해봐요? 내가 먼저 비용의 일부를 지불하겠네."

Gg: "정말? 오늘 당신 술김에 말을 너무 쉽게 하는 거 아닌가요?"

김: "진심일세."

그리고 이어 김종배는 우리 둘을 질책하듯 말했다.

"3월 15일 밤 시위의 선두에 있었기 때문에 그 상황을 생생하게 기억합니다. 김용실은 누구보다 앞장서 시위에 앞장섰던 용감한 사나이였어요. ."

나는 그날 밤 늦도록 잠들지못한 채 어둠 속에서 혼자 중얼거렸다: .

"참 이해할 수 없는 일이야. 김종배가 어떻게 그 자리에서 그런 제안을 할 수 있었을까? 평소 그답지않아. 그는 예술 분야에는 문외한인데. 어떻게 김용실 추모공연을 플라멩코 춤과 연결할 발상을 했을까? 플라멩코 춤은 마산지역에서는 매우 낯선 이국적인 춤인데. 그런데 내 평소의 주량을 넘어서까지 마셨는데 잠들지 못하는가. 더구나 어찌하여 이렇게 마음이 두근거리는가?

그간 50년이란 세월이 무심히 지나갔어.

이제 뭔가를 할 시간이다.

김용실을 추모하는 공연을 할 수 있는 방법을 찾아야 한다.

결국 이 길만이 내가 마음의 빚을 갚는 방법일거야.

아버지!. 어쩌면 이것이 제가 아버지에게 진 무한한 빚을 갚을 기회가 될지도 모르겠습니다.

무엇보다 고 김용실의 절친한 친구로서 내게 이 일을 직접 맡지 않는다면 누가 하겠나 ?

마음의 빚에서 벗어나려면 이 기회를 놓치지 말아야해.

어쨌든 그 제안은 내게는 그다지 어렵지 않은 일이야.

몇년젠에 순수한 플라멩코 공연을 한 적이 있었으니, 내가 원하면 할 수 있는 일이고....

공연비도 감당할 수 없을 정도는 아니야.내가 잘 알아.

무엇보다 김종배가 300만원을 내놓겠다고 하다니!"

그 날 밤 늦은 시간에 노트북을 켜, 두근거리는 마음을 진정시키며 10여년 친하게 지내온 미국의 플라멩코 댄서 헬레나와 다음의 이메일을 주고받았다:

2010.12월

헬레나에게!

안녕하세요. 나, Gg 입니다.

오늘 당신과 의논할 중요한 일이 있어 이메일을 보냅니다.

오늘 늦은 저녁, 세 친구와 만난 자리에서 이 지역의 한 인물을 기리는 추모공연을 거행하는 문제를 놓고 긴 시간 의논했습니다. 우리 셋은 50년전인 1960년 3월 마산 3.15의거 때 시위 군중을 향해 경찰이 쏜 총탄에 맞아 서거한 한 학생을 추모하는 공연을 펼치기로 했습니다. 그 추모공연은 플라멩코 춤을 중심으로 펼치기로 하였습니다. 당연히 헬레나 당신의 춤을 머리속에 그리면서 그렇게 의논을 모았습니다. 공연날짜는 새해 2011년 3월 초순으로 하기로 의논을 모았습니다. 그 인물은 당시에 내가 다니던 고등학교의 학생으로 나와 같은 반 학생이었고 또 급장이었습니다.

나는 헬레나 당신이 이곳 마산에 다시 와서 이 추모행사를 기리는 플라멩코춤을 춰 주기를 간곡히 희망합니다. 이 행사는 내년 3월 15일 전에 거행될 것입니다. 당신이 4년전 지난 방문 때처럼 기타리스트 한명과 함께 초청할 계획입니다. 아시다 시피, 이 공연은 오로지 가까운 친구들이 최소한의 경비로 치루어낼 것입니다.

기타 반주에 의한 당신의 플라멩코 춤을 중심로 할 것입니다. 추모 시 낭송이나 살풀이 춤 등은 플라멩코가 결정된 다음에 정해도 늦지않을 것입니다.

당신의 신속한 회신을 기대하며,

Gg

다음 날 아침 이메일 박스에 들어와 있는 그녀의 회신에는 너무나 실망스럽게도 내년 3월에는 한국으로 올 처지가 못된다

는 내용이 담겨있는 게 아닌가! 아래가 그 이메일이었다:

Dec. 2010
헬로우, Gg!
반가워요.
그 추모공연 아이디어, 정말 놀라워요. 마산으로 다시 날아가 춤추고싶습니다. 그렇지만 안타깝게도 내년 2월엔 내가 남이 과테말라에 가야만 해요. 이미 예정되어 있어요.
Gg에게도 이미 말했다시피 내가 바라는 입양소녀 한명과 낸녀 2월에 현지에서 상봉하기로 되어있습니다. 입양을 위한 서류절차가 현재 진행중 입니다.
요즈음 나는 과테말라에서 그 입양 소녀를 만날 생각으로 가슴이 뛰고있어요.
어쨋거나 당신이 계획한 3월의 추모행사는 당신을 위해서도 의미가 깊을 뿐 만 아니라, 플라멩코 자체를 위해서도 매우 기발한 아이디어입니다 .
Bye
헬레나

Dec.2020
Gg에게
혹시, 그 계획을 좀 늦추어 5월이나 6월이면 안될까요? 그 시점이면 가능합니다.

난 정말 한 번 더 마산에 가 춤추고 싶어요. 나는 지금도 마산의 관객들이 ,그리고 함안군의 관객들이 경이로운 표정으로 처음 보는 나의 플라멩코 춤을 그렇게나 열렬히 환호할 줄 몰랐습니다. 내 삶에 가장 행복했던 순간이었습니다.

창동에서 탱고를 가르치는 박미 선생에게,
그리고 지난 날 함께 무대에 올랐던 김진숙 님에게도 안부를 전해주세요.
회신을 기다리며
헬레나

Jan, 2011
헬레나에게
당신의 과테말라 여행 일정이, 하필이면 3월이라니!
내게는 정말 안타까운 소식입니다.
그 행사는 꼭 3월이어야 해요.
그렇지만 어린 소녀를 입양하는게 당신이 그렇게나 고대하던 일이니, 그 소녀를 만나는 것보다 더 중요한 일이 어디있겠어요. 어쨌거나 이쁜 딸을 얻게되었으니 축하해요.
당신이 3월에 올 수 없다니 어쩔 수 없이 한국의 전통적인 살풀이춤으로 준비하는 수밖에 없겠네요.
또 연락할게요.
Gg

헬레나가 현실적으로 3월에 올 수 소식에 한동안 당황하여 좌왕우왕했다. 살풀이 춤으로 대신할까 생각도 해보았으나, 이 행사가 시민들의 관심을 끌기위해서는 뭔가 새롭고 신선해야한 다는 결론을 내렸다. 플라멩코 춤이야 말로 그 기원의 본질에 있어서나 집시 풍 특유의 춤의 형태로 보아 직감적으로 이 추 모공연으로 적합하다는 확신이 들엇다. 그 바탕에는 몇년전 마 산과 함안에서 헬레나가 무대에서 선 보인 낯선 플라멩코 춤에 관객들이 너도 나도 열광하는 모습을 신기한 눈으로 지켜보았 던 적이 있었기 때문이었다. 그래서 나는 추모공연을 플라멩코 를 중심으로 치룬다는 계획을 그대로 밀고나가기로 하고 헬레 나를 대신할 수 있는 플라멩코 댄서와 기타리스트를 서울에서 찾기로 결심하고 마음을 정하였다.나는 즉시 인터넷에서 서울 의 플라멩코 댄서들을 검색해 보았다. 결국 내 마음에 드는 플 라멩코 댄서 한 명을 찾아내어 그녀와 이메일로 소통하기 시작 하였다. 1월 중순 눈 내린 어느 날, 숨돌릴 틈 없이 기차를 타 고 서울로 올라가 그녀의 스튜디오에서 그녀를 만났다. 그녀가 스페인의 세비아에 단기 유학한 프로 플라멩코 댄서라는 경력 을 이미 파악한 내게 그녀를 직접 만나보니 그녀는 사진 이미 지로 보는 것 보다 훨신 매혹적이었다. 헬레나의 대안으로 손 색이 없었다. 나는 이 추모공연의 취지를 그녀에게 설명하고 그녀에게 플람에코 춤의 하나인 솔레아에 관하여 간결하나 깊 이있는 대화를 나눈 뒤 그 자리에서 출연제안을 했고 그녀도 기꺼이 나의 제안을 받아들였다. 그녀에게 믿음이 가기에 즉석 에서 출연료의 절반을 현금으로 건넸다. 그녀도 기꺼이 나의 제안을 받아들였다. 나는 빛의 속도로 이 계획을 전척시켰다.

Jan.2011

나디네 선생!

안녕하세요.추모공연을 준비하고 있는 Gg입니다.

말슴드렸듯이,선생을 다음주 월요일 오후에 방문하겠습니다. 당신에게 출연제안을 하고 싶습니다. 오후 중 언제가 좋을까요? 저는 오후 2시쯤 기차로 서울에 도착할 예정이에요

Jan. 2011년

Gg님! 제게 추모공연의 중심 역할을 제안해 주셔서 감사합니다. 요청하신 대로, 제 사진과 소개서를 여기 첨부하여 보냅니다. 그런데 알려주신 제가 무대에서 펼칠 플라멩코 춤 3곡의 자세한 항목에 대해서 좀 더 숙고해보겠습니다. 이번주 내로 그 3곡에 대해 알려드리겠습니다.

또 봐요.

나디네.

Feb.2011

Gg 님! 춤 3곡 고르기가 무척 어렵네요 첫 번째 보여줄 춤으로는 저항과 고통을 표현한 시규리아(siguiriya)를 선택했습니다. 7분 정도 소요될 것입니다.

두 번째 곡으로, 집시의 전통적인 솔레아(Solea)를 선택하였

고, 세 번째로 '플라멩코 춤의 여왕'으로 알려진 유명한 알레그리아스(Alegrias)춤입니다. 아시다시피,율동성이 넘치는 흥겨운 춤입니다

앙코르 춤으로 약 2분 정도의 불레리아스(Boulerias)를 선택했습니다. 팔마스(palmas)와 더불어 나설 것입니다. 제가 선택한 위의 3 작품에 대해 질문이 있으면, 저에게 이메일을 알려지시길!

안녕히 계세요!

나디네.

Feb. 2011

나디네님에게!

좋습니다. 이번 무대의 중심이 될 플라멩코 춤 부분에 관한 모든 사항은 전적으로 나니네님팀에게 일임하겠

습니다. 나디네 님의 세 번의 플라멩코 춤에 약 20분 정도를 할당할 것입니다. 참고로, 공연에 소요될 시간은 총 90분 정도입니다. 관객의 3분의 1 정도로 마산고 재학생이 객석을 채울 것이므로 90분을 넘지 않도록 할 계획입니다. 학생들의 귀가 시간이 너무 늦어면 안되니까요

또 연락하겠습니다.

Gg

2.

앞서 언급했듯이 이번 행사는 처음부터 Gg의 계획에 따라 플라멩코 댄스를 중심으로 시작됐다. 무엇보다 금융인이었던 전 3.15기념사업회 김종배회장이 기부한 2,500달러의 기금으로 곧바로 준비가 이뤄졌다. Gg는 행사에 앞서 플라멩코를 잘 모르는 친구들에게 이 춤의 기원에 대해 설득력있게 설명하였다. 그들이 우려하는 바를 해소시키고 싶어서 였다.

Gg에 따르면, 플라멩코는 원래 집시들이 고뇌와 절망을 표출하는 길이었다. 플라멩코는 흔히 알려져 있듯이 상업주의에서 비롯된 단순한 관광 용의 춤 행위가 아니라, 비극을 극복하려는 내면의 표현인 것이다. 본질적으로 독무 형태인 이 춤은 내향적이다. 댄서의 아래로 향한 시선이 이를 잘 말해준다고 하였다.

Gg는 플라멩코에 대하여 다음과 같이 계속 말을 이었다:

이 춤은 도취의 경지에서 속내를 여과없이 다 드러내는 예술이다. 아름다움의 가면 뒤에 자신의 영혼을 숨겨주기를 거부한다. 진정한 플라멩코는 그런 것이다. 이 춤의 하나인 깊은 춤은 번떡이는 재치나 기교를 넘어선 영혼의 절규이다.이 춤은, 비유적으로 화가의 격렬한 내면의 동요가 그대로 강한 선과 리듬으로 표현되어진 20세기의 표현주의와 닮았다.

그리고 플라멩코춤은 고전주의적 '아름다움'의 개념을 넘어 그 표현력에 더 높은 가치를 두는 춤이라고 했다. 우아한 아름다움을 넘어선 것이다.

플라멩코에 대한 그의 요지는 계속되었다:

한 마디로, 플라멩코는 본질적으로 비극적이다.고뇌와 절망의 표현이라는 것이다. 이 점은 아래의 싯귀들에서 잘 나타나 있다.

나의 영혼은 숱한 햇수의
고통을 맛본다.
이 비통함은
세월이 흘러도
결코 줄지않고
오히려 점점 더 크질 것이 때문이다.
(even my soul feels the pain
of so many tears,
Because these griefs will never get smaller,
will grow with the years.)

그리고 다른 코플라(Copla)인 시규리어 싯귀는 이러하다;

낮아 다가오면
나의 비통함은 더욱 커지고,
오직 캄캄한 밤의 그늘만이
내 영혼을 감싸준다..

53

(When the daylights comes

my griefs begins to grow;

only the shadows of darkest night

comfort my soul.)

50년 만에 처음으로 거행되는 이 추모공연을 통해 김용실 열사에 대해 잘 모르는 마산 시민들에게 그가 어떤 청년이었는지 알릴 수 있는 귀중한 기회가 되어야 한다는 점을 Gg는 그들에게 특별히 강조했다. 결론적으로 이를 위해 이번 추모공연의 중심축을 플라멩코로 삼았다고 그는 말하였다. 이에 덧붙여, Gg는 지난 2006년 겨울 미국의 플라멩코 댄서 헬레나를 초청하여 마산과 함안에서 공연한 적이 있다는 사실을 친구들에게 상기시켰다. 그는 플라멩코 춤을 처음 접한 마산과 함안이 관객들이 그 낯선 춤과 기타선율에 깊은 너 나 없이 매혹되는 광경에 놀랐다면서 이번 추모무대에서도 플라멩코 춤이 관객들의 이목을 집중시킬 것임을 확신한다고 말했다.

마침내 Gg의 기획안이 추모행사의 적극적 참가자들의 승인을 얻었다. 그리하여 이 공연은 마침내 3월 11일 마산 3.15 아트센터에서 성공적으로 치뤄졌다. 이번 행사의 주목할만한 특징 중 하나는 공연비용이 전액 자발적인 기부를 통해 마련되었다는 점이다. 앞에서 말했다시피 김종배, 홍중조 그리고 나를 포함한 기획자 7인이 공연비를 선도적으로 갹출했다. 추진위원들의 대부분이 우려했던 사항이었던, 시민들이 추모행사를 위한 플라멩코 춤공연을 선뜻 받아들이지 않을 것이라는 점도 해소시켰다. 즉, 한국의 전통무용 '살풀이'가 추모의 의미에 더 부합하지 않겠느냐는 게 중론이었던 것이다.

예정대로, 이 첫 추모공연의 기획연출과 관련하여 모든 일을 Gg에 맡기기로 결정했다. 추모공연에 개인적으로 2500달러을 기부한 전 315기념사업회 김종배 회장의 적극적인 제의를 발기인과 추진위원들이 모두가 흔쾌히 수용했던 것이다.

돌이켜 보면, 헬레나의 불참소식에 한동안 당황하여 허둥지둥하였던 내가 궁여지책으로 눈길을 돌려 국내에서 대안을 찾기로 하였고, 때 마침 서울에서 활동하고있는 Nadine이라는 한국인 플라멩코 댄서를 발견한 것은 행운이었다. 나는 이 추모공연을 위해 특별히 마산고 합창단을 무대에 올리기로 결정했다. 김용실 열사가 50년전 마산고 학생이었음을 적극적으로 알리고 싶었기 때문이었다. 그리고 이 공연의 팜프렛에 다음의 취지문을 올려 이 추모공연을 적극적으로 홍보하였다:

마산 3.15 의거에 내재된 역동적 요소의 하나였던 김용실 열사의 살신의 대의와 용기를 기리고저 이 추모공연을 마련하다. 불의에 맞서 자신의 온 삶을 죽음속으로 내던진 그의 선연한 저항으로 우리들은 가슴 가득히 자랑스러움과 슬픔을 맛보았고, 마산은 그 앳된 젊은이의 희생으로, 그리고 그날의 집약적 젊은 의분으로 이 시대의 의로운 마음의 성지가 되었다.

이제 51주년째 그날을 맞이한 지금 남아있는 우리들은 김용실 열사에게, 그와 아울러 그 날 희생된 모든 용사들에게 그 무엇으로도 다 갚을 길 없는 마음의 빚을 지고 있다.

그런 의미에서 이 추모공연은 우리들이 그분들에게 돌려주어야할 빚의 일부이기도 하다.

그렇게 하여, 김용실 추모공연은 예정대로 2011년 3월 11일 오후 7시 30분 마산 315아트센터 소극장에서 열렸다. 놀랍게도 관객은 600석 규모의 소극장을 채우고 넘쳤다. 뒤쪽에도 사람들이 꽤 많이 서 있었다. 마산고 제21기 동문 회장의 인사에 이어 플라멩코 댄서 나디네가 무대에 조용히 등장했다. 관객들은 입장과 동시에 공연 프로그램을 미리 받아본 터라 첫 번째 공연이 플라멩코 댄스인 것을 알고, 무슨 춤인지 궁금해하며 숨을 죽이고 호기심으로 지켜보고 있었다. 이국적인 의상을 입고 무대 위 한 의자에 명상의 자세로 앉아있는 댄서에게 모든 관객의 이목이 집중됐다. 그녀 뒤에는 손뼉으로 박자를 맞추는 댄서 두 명이 더 서 있었다. 이윽고 그녀는 기타의 유도 선율에 맞추어 조용히 일어나면서 춤 동작을 시작하였다.

댄서는 스스로 부드러운 박수로 리듬을 맞추었다., 그 후 그녀는 두 팔을 민첩하게 들어올리며 기타 소리에 집중했다. 그녀는 머리 위로 올린 긴 두 팔로 반원을 그리며, 아래로 가만히 내렸다가 다시 가슴을 거쳐 공중으로 올렸다. 그녀의 두 손은 머리위에서 둥글게 원을 그리는 동작을 하였다. 관객들의 이목은 그녀가 만드는 'floreso (손과 손가락의 움직임)에 쏠렸다. 무용수는 명상에 젖은 시선을 객석을 너머 아득한 곳으로 향하고 있었다.

그녀의 플라멩코 춤은 Gg가 예상했던 것보다 더 매혹적이었다. 그녀는 강한 발동작으로 점차 '시규리어(siguiriya)'의 깊은 강렬함에 빠져들었다. 그녀의 춤 동작을 보며 Gg는 잠시 동안 4년 전 마산에서 플라멩코 공연을 하였던 헬렌의 깊은 춤을 떠올렸다. 한국인 무용수 나디네는 뛰어난 미모로 관객들의 마음을 사로잡았기에 그 또한 가슴이 뛰었다. 그녀는 자파테아토(뒤꿈치와 발 구르기)를 마음껏 선보이며 관객들을 열광시켰다.그녀의 플라멩코 무대 시간이 약 7분 정도 끝나자 관중들은 우레 같은 박수를 보냈고 사방에서 앙코르 소리가 터져 나왔다.

경향각지의 언론 방송 매체, 이를 테면, 중앙일보, 문화일보, 경남신문 경남도민 일보,마산 문화방송 등이 이 추모공연을 보도해주었다. 여기에 그해 3월 8일자 경남신문의 일면 기사의 타이틀 글과 인용문 몇 줄과 그리고 3월 11일자 중앙지 문화일보 기사 전문을 아래에 옮긴다. 경남신문의 요약무은 아래와 같다:

1960년 3월 15일,민주화 함성지르다 스러졌던 너....
친구 용실아, 먼저 보내 미안하다.
마산고 1학년 2반 친구들,11일 3.15 아트센터에서 김용실 열사 추모공연 마련.
더 늦기 전에 용실이를 위해 뜻있는 일 한번 하자.
".........플라멩코 댄서 나디네씨가 솔레아 ,시규리어,알레그리아스 독무를 춘다. 솔레아는 자유를 갈망하는 집시들의 고

통과 저항의 몸짓이다. 시류리어는 살아남은 자의 애통어린 춤
이며 알레스리아스는 슬픔을 승화한 율동이다"- 이학수기자

이어 아래는 먼저 문화일보의 기사의 전문이다:

ㅡ"더 늦기 전에..."
315의거때 숨진 친구 추모공연ㅡ
" 일흔을 바라보는 노 신사들이 1960년 3.15의거때 총탄에
맞아 숨진 고교동기를 그리워하며 십시일반 돈을 모아 추모공
연을 마련했다.주인공들은 경남 마산 고등학교 21기 동기생 40
여명.
이들은 11일 오후 7시 30분 창원시 마산 회원구 3.15아트홀
소극장에서 '3.15의거 김용실 열사 추모의 밤'을 개최한다. 마
산고 1학년 급장이었던 김용실(당시 17세)는 1960년 3월 15일
이승만 정권의 부정선거에 항의해 시위를 벌이다 북마산 파출
소 앞에서 머리에 총상을 입고 숨졌다.
4.19혁명으로 이어진 이 항쟁에서 12명이 사망하고 250여명
이 경찰이 쏜 총에 맞거나 구금돼 고문을 당했다.
마산고 21회 동기들은 용실이를 먼저 보내 마음의 빚을 지고
살아왔지만 삶에 쫓겨 용실이를 가슴 한구석에 묻어두고 때론
모른척 했다. 그러나 술자리에 앉을 때마다 용실이는 살아났고
그의 희생과 용기는 가슴을 뜨겁게 했다.
용실이를 보낸 지 51년 ,중학교 때부터 친구였던 Gg(당시 67
세)씨는 더 늦기 전에 용실이를 우한 추모공연을 해야겠다고

생각해 지난 해 12월 말 1학년 2반 김신평, 박용우, 박진형 등 친구들과 힘을 합쳐 공연을 기획했다. 용실이를 위한 초모공연이 준비되고있다는 소식이 알려지자 창원에 사는 21기 동기 40여명이 너도 나도 돕겠다며 호주머니를 털었다.

기획.연출을 맡은 Gg씨는 "용실이는 우리의 가슴을 설레게 만들었고 부끄럽게 만들기도 했다."며 "늦었지만 한 시대 이곳의 정신을 예술로 승화시키고, 용실이를 우리의 가슴에 오래 남기고 싶다."고 말했다.

공연은 집시들의 고통과 저항의 몸짓을 담은 댄서 나디네씨의 플라멩코 독무로 시작해 mbc 악단 출신인 마고 21기 이강복씨가 kbc출신 석상조씨와 색스폰 듀오로 나서 아침 이슬과 가곡 가고파를 현주한다. 이어 마고 21기인 테너 황열일씨가 마고 교가를 마고 재학생 합창단의 백코러스로 열창한다."- 박영수 기자

이 추무공연은 다음해 21012년과 2013년에도 이어갔다. 2차 추모공연에서는, 김춘수의 시—베고니아 "育矛낯³ 만큼이나—를 낭송하는 무대를 제일 처음에 올렸고, 전체적으로 중심 축인 플라멩코와 살풀이를 대비적으로 조화시킨 무대를 만들이었다. 2차 무대에서는 3.15의거 정신을 춤의 예술로 시각화시킨 무대였다. 한 플라멩코 댄서의 말처럼 순수한 시는 춤이 될 수 있다는 믿음에서 었다.

그리고 3차 무대의 경우,무대 타이틀을 발전적으로 <3.15열사 추모 예술제>로 바꾸어, 판소리와 플라멩코를 춤심축으로

삼았다. 특별히, 2차의 추모무대와 와 3차 무대의 비용을 마련하기 위한 자구책의 하나로 창원 상공회의소 갤러리에서 지역출신들의 회화작품을 전시하였다. 지역의 중견화가들이자 Gg의 지인들인 김복남, 김진숙, 목경수, 이정남, 손명숙, 윤복희, 윤영수씨들이었다.

3회에 걸쳐 이어진 이 추모공연을 기획 연출한 김용실의 친구Gg을 마산고 동창회는 잊지않았다. 2014년 4월 11일에 마산고 총동창회에서는 그에게 다음의 글귀를 담은 공로패(제14-1)를 증정히였다:
"귀하께서는 3.15의거 김용실.김영준 열사 추모 예술제 발기인으로 2011년 부터 헌신적인 노력으로 두 분 열사의 살신이 대의와 용기를 후세에 널리 알리고 마고 인의 기상을 드높이는데 크게 공헌하였기에, 개교 78주년 기념 제 48차 정기총회를 가하여 그 공헌을 기리는 동문들의 마음을
이 패에 담아드립니다.

2014년 4월 11일
마산고등학교총동창회
회장 안홍준

4. 5인의 창동 화가들

한 때 나는 창동을 드나들며 12년 넘게 영어과외수업으로 생활비를 벌었던 적이 있었다. 나는 글쓰기외의 다른 일에는 별로 관심을 두지 않았고 특별히 잘 하는 일도 없었다. 그러던 중 우연히 미국의 시인 애니 딜라드(Annie Dillard)의 'Writing Life'의 책 표지에 관심이 쏠렸다. 그 책 표지 그림은 한마리의 고래가 수면 위로 솟아오르는 순간이 담겨있는 반추상의 풍경화였다. 평소에 눈에 띄지 않던 이 표지의 그림이 하루는 유난히 나의 마음을 끌었다. 한참이나 이 표지를 들여다 보던 나는 글쓰기와 관련하여 불쑥 아래와 같이 생각하였다.

'그래 맞아,

내 글은 저 고래의 솟구침과 같아.

저 고래는 숨쉬기 위해 저렇게 수면 위로 솟구쳐 오르는 것이지. 나의 글쓰기도 숨쉬기와 같아.'

나는 나의 글쓰기 작업에 대해 그런 느낌 아래 살아 가던 중 나는 여러 책에서 여러철학자들, 이를테면, 키엘케고오르, 카프카, 쇼펜하우어, 카뮈, 스피노자, 메를로퐁티 등의 글들을 접할 수 있었다. 특히 헤겔에 관해 쓴 글에서 큰 위안을 얻기도 하였다. 철학자 헤겔이 긴 시간동안 부잣집 자녀들을 가리치는 개인교사 생활을 했었다는 요지의 글이 그것이었다. 그리

고 나는 다음과 같이 말한 쇼펜하우어의 글도 좋아했다:

"우리를 구원할 신이 없으므로,

오로지 예술, 음악.그리고 철저한 절제와 연민의 태도만이

우리에게 다소 평정심을 가져다 줄 수있다. "

(Since there is no god to save us,

only art, music, and a discipline of renunciation and compassion

could bring us a measure of serenity."

그 뿐만 아니었다. 카뮈가 젊었을 때 결핵을 앓았으며, 그가 교수직을 얻지 못한 것이 오히려 작가로서의 자유로운 삶을 더욱 풍성하게 만들었다는 사실을 책을 통해 알게 된 것은 나에게 큰 위로가 되었다. 그리고 Merleau-Ponty가 Cézanne의 그림을 좋아했다는 글을 읽으면서 그 말이 얼마나 신선하게 느껴졌던지! 내가 창동의 화가들과 가까이 지내면서 그들의 그림을 평소에 자주 감상할 수 있었다.

내가 창동 화가들 가운데 특별히 네댓 명의 화가들과 가까이 지냈다. 현재호, 남정현, 하청룡, 그리고 변상봉이 그들이었다. 그리고 나중 최운은 그가 직접 만나지 못한채 그의 그림을 좋아하게 되었다. 창동의 나의 지인들의 말에 의하면, 그는 현재호보다 나이가 많았고 핸재오에 대한 질투심이 유난히 강하였다고 하였다. 나는 그의 그림을 볼 때마다 그가 정말 그러했을까지 의아해 했었다.그의 그림 어디에도 그의 속좁은 성품 같은 게 드러나 있지 않았다. 마산 앞 바다를 그린 그의 풍경화는 스케일이 컸었고 간결하였다. 무엇보다 그의 '꽃게' 그림

들은 사실주의적 묘사력이 탁월하였다.

나는 현재호 화가와는 자주 만나 술잔을 함게 나누었다. 그러다보니 그의 그림을 더 깊이 있게 좋아하게 되었다. 그의 그림은 비현실적인 사람들의 무언의 신뢰를 담고있었다. 그들의 얼굴에는 한없이 작은 것에서 무한한 자유가 있었다. 평평한 캔버스 위에 몽환적으로 그려진 침묵은 부드러운 검은 선을 따라 애절하게 표현되어 있었다. 그래서 인지 모두가 그의 그림에 매료된 것 같다. 나는 그의 그림이 사람들에게 인생의 쓴맛과 달콤함을 맛보게 하는 것 같은 느낌이 들었다. 어떤 면에서 그의 그림은 회화라기보다 속삭임의 산문이었다. 형식이 없는 자유시였다. 서정적인 속삭임의 운문이었다. 그림 속 인물들의 비현실적인 형상은 작가의 내면적 시선에 포착된 이웃들의 힘든 삶을 표현하고있었다.

창동의 어느 화가가 현재호는 현실의 절망감을 면재받은 운좋은 보헤미안이라고 말한 적이 있다. 그의 말은 그와 그의 그림이 삶이 고단한 서민들의 사랑을 받았다는 뜻이었다. '에콜드 파리'로 불렸던 파리의 일군의화가들, 이를테면, 들모딜리아니, 유틀리로, 로트렉,그리고 수틴을 떠올리며, 나는 현재호에게 '에꼴 드 창동'이라는 별명을 붙인 적이 있다. 그리고 점차 그 나머지 4명의 창동화가들에게도 그렇게 에콜드 창동이라 부르기를 좋아하렸다. 이것은 물론 공적인 말이 아니고 내 혼자 임의로 그렇게 불렀다.

먼저, 현재호의 경우를 한번 살펴보자. 그는 마산의 창동에서 ,지금 나이로 보면 비교적 짧은 60여세의 삶을 살았지만 그는 마산 어시장의 노점 상인들의 따뜻한 사랑과 술대접을 받았다. 그 화가의 언어의 주된 기능은 의미를 전달하는 데 있지않았다. 그가 평소에 남들과 대화하는 언어는 비상식적이서 논리적 굴레에서 벗어나 있었다. 그에게는 의사전달에 필요한 어휘들이 많이 필요하지 않은 화가였다. 그가 사용하는 어휘는 'p 마디 뿐이었다. 그의 '이루어지다'라는 한 단어는 그가 표현하고 싶은 모든 단어를 대신하는 것이었다. 이를테면, 그는 '그래, 이루어졌구먼.' '그것은 이루어져야.' '아직 이루어지지아 않았어.' 등으로서 자신의 의사를 전달하는 것이었다. 즉, 그의 말의 대부분은 "이루다"에서 파생된 것이었다. 신기하게도 이 점은 그의 그림에 대해 간혹 대화를 나눌 때 상대방에게 그렇게 불편함을 주지않았다. 오히려 그런 점이 그와 마주하는 이들에게 시적 몽상을 불러일으키는 묘한 요소이기도 하였다. 현재호와 그의 그림이 지닌 묘한 흡인력은 어디에서 오는 것일까? 나는 자주 그런 물음을 스스로에게 던지곤하였다.

나역시 그의 비논리적인 표현에 거의 불편함을 느끼지 않았다. 오히려 나의 상상의 폭을 넓혀주었다. 화가에게 중요한 것은 말이 아니라 손이라고 생각했고, 말이 아닌 손으로 소통한다고 생각했다. 현재호의 그림이 어렴풋이 나의 눈에 들어오기 시작한 것은 그와의 소줏잔 부딪침이 점차 늘어나면서 였고, 창동골목길 선술집의 담배연기 자욱한 취기가 나에게도 잘 어울린다는 기분이 들면서 였다.

깊은 체념의 정적,

현재호 특유의 더늠과

64

잿빛 색상,
그리고 회화의 두터운 색료는
보는 이로 하여금 가슴을 아프게 한다.

초연한 헐벗음의 아름다움.
흐릿한 듯 맑고,
거친 듯 부드러운,
저 페이소스!

한편, 불종거리에 위치한 남정현 화실의 입구에 걸린 반 추상의 유화는 비 회화적 상징이나 문학적 일화를 담고있지않았다.코발트 색의 화면에 바다 풍경이 반 추상적 패턴으로 구성되어 있었다. 지난 80년대 부터의 그의 그림에는 막연한 사색의 흔적은 아예 걷어내 버린 채 순수한 색채의 기하학적 구조가 현저하였다.

남정현은 감상주의적 연상이 묻어나는 캔버스를 거부하였다. 그는 현재호 그림의 유기적 곡선, 부드러운 따스함과 풍만함이 자신에게는 물컹물컹한 느낌을 주더라고 말한 적이 있었다. 미는 차가운 속성의 것. 곡선들의 부드러운 얼킴이 불러일으키는 유기적 물질감보다 직선들이 어울리는 직각이나 예각의 비물질성이 더 아름답다. 언젠가부터 이 화가에게 그런 의식이 들었다는 것이다.

그의 그림은 탈 문학적이다. 사람들은 대개 그림 앞에 서면 자신도 모르게 그 곳에서 인간적인 의미, 이를테면 슬픔이나

번민, 회상의 달콤함을 찾으려는 경향이 있는 것과는 달리 ,
남정현은 자신의 그림이 그런 감상의 표현을 싫어하였다.

　이 화가의 그림에 나의 호기심이 커지기 시작한 것은 나의
내면에서 일고있었던 문학적 사색의 변화와 그 궤를 같이 하였
다. 도스토에프스키나 헤르만 헷세의 내면적 성찰이 칙칙한 유
기적 물질성으로 느껴졌고, 대신에 까뮈적 건조하고 담백한 글
귀에 마음에 더 끌리기 시작하면서 였다. '세상은 한마리의 거
대한 짐승. 그 뼈는 깨끗하다.' 카뮈의 그런 글귀들이 매혹적
이었던 것이다. 남정현의 그림에서는 순수한 빨강이나 감청 등
의 색채가 기하학적 질서속에서 아름다움을 찾으려 했었고 그
림속에 어떤 언어적 의미을 배제시켰다. 그의 그림에겐 언어의
속삭임이 들어설 공간이 없었다.

　남정현이 화가로서 관심 사항은 색채의 대비, 직선과 곡선의
어울림의 어떤 형태적 구성이었지 언어적 상상이 아니었다. 남
정현 화가는 사실주의적 구상과 일정한 거리를 둘때 비로소 현
실의 본질에더 가까이 다가설 수 있다고 생각하였던 것 같다.
그렇지만 그런 추상성 지향의 바탕엔 남해의 해안풍경이 잠재
되어있었다. 한마디로 그 반추상의 바다풍경은 늘 마산 앞 바
다를 모티브로 하고 있었다. 그는 뇌리속의 순간적인 번쩍임의
영감보다 손의 긴 노역을 귀하게 여기는 화가였다. 그의 말에
의하면, 영감의 번쩍임은 번개처럼 사라지므로 그 잔상은 너무
희미하여 포착하기 힘들다는 것이었다. 따라서 화가로서 그는
그 잔상을 켐버스위에 형상화하기 위한 긴노역을 견디에 내야
만 했다고 믿었던 것 같다.

창동의 이웃 동네에 화실을 두었던 허청룡 화가는 자연의 형
태에서 미적 원형을 찾아내려 애썼다. 그의 그림에는 형태의
단순화, 시적 향기, 그리고 아름다움에 대한 이 화가의 끊임없
는 통찰이 담겨있었다. 그는 화가이자 산문작가인 김환기의 화
첩 속의 '나무와 달'을, 그리고 그 김환기의 산문집, '그림의
노래'를 좋아하였다. 허청룡이 창동 근처에 있는 그의 화실에
서 소주잔을 앞에 놓고 혼자 앉자 방문객이 들어오는 것 조차
모른 채 깊은 사색에 잠긴 모습을 두번이나 본 적이 있었다.
뭔가에 집중하는 그 모습은 아름다웠다. 그 순간 나는 '영감은
집중의 산물'이라고 한 누군가의 말이 생각났었다.
　허청룡은 '달빛 사냥꾼'이라는 애칭을 갖고 있었다. 시정이
넘치는 그의 비사실주의적 풍경화에는, 깊은 새벽 내가 술이
반쯤 깬 상태로 만나는 산사의 신비로운 보름달, 푸르스름한
앞산 능선, 그리고 절 잎구에 핀 홍매화 꽃잎 등을 그의 풍경
화를 통해서도 만날 수 있었다. ' 푸른 색 가장자리에 흰빛의
선이 유난히 드러나는 달빛 풍경들'. 하루에 소주 몇 되를 마
시면 오장 육부가 춤을 한다',그리고 '.... 예술이 궁극적으로
지향하는 것은 아름다움의 구현이다.' 이런 어휘들은 허청룡이
술 자리에서 자주 입에 올리는 어휘들이다. 개인적인 말이지
만, 이 화가의 그림한 점은 미국 LA에 거주하는 나의 아들 집
에 걸려있다. 아들의 결혼 축하선물로 그려 준 그림이었다. 그
가 시정 넘치는 화가임은 앞에서도 말했지만 그는 김환기 화가
의 달 항아리를 저주 거론하며, 회화의 미적 본질은 시적 표현

에 있음을 자주 강조한 화가였다.

이에 더하여 경남대 교수였던 변상봉은 누드화로 유명한 화가였다. 나는 남성동 우체국 앞에 위차한 나삼수의 개인사무실에서 그의 풍경화 한점 '함안 문화센타'를 찍는 사진에 한 참이나 눈길을 보낸 적이 있었다. 이 풍경화는 이 화가가 자연과 도회적 인공물을 시적 풍경으로 재탄생생시켜 놓은 그림이었다. 건축물이 선의 흐름을 타고 한 폭 풍경의 시로 시각화 해 놓은 그림의 사진이었다. 함안 문화센터가 저렇게 아룸다운 건물인가? 실제의 그 문화센터는 그저 그런 평범한 건물일 뿐이었던 것이다. 나는 그가 그려낸 그 풍경화에 감탄하였다. 그의 손이 닿으면 그 어떤 인공물도, 예컨대 바다와 섬 사이의 교량, 해안의 가로등과 그 아래 정차한 유선형의 '폭스 바겐'이 화선지 위에서 시정 넘치는 예술품으로 재탄생되었던 것이다.

변상봉은 특별히 느드화로 세인들의 감탄을 자아내었던 화가였다. 그의 필선의 도발적인 자유분방함, 한국의 전통미에 대한 현대적 소화력은, 그리고 여성의 인체미에 대한 적나한 표현력은 어느 누구도 흉내낼 수 없었다. 도발적인 그의 누드화의 선의 흐름은 탁월하였다. 채색 한국화가로서 그 화가는 데생이라는 절차를 거치지않고의 일필에 화선지 위에 그어 내었던 화가였다. 한번은 그가 술자리에서 자신은 누드의 선을 가장 아름답게 그러내는 작가로 평가받고 싶다고 말하였다. 필과 묵을 바탕으로 하는 한국화가, 변상봉이 그려내는 누드의 선은 틱월하고 유려하였다. 그의 누드화는 그의 회화와 창작기법에 있어서 어느 누구도 넘볼 수 없는 작품들이다. 그가 수묵의 일필로 표현해내는 누드의 선은 도취의 리듬을 타고 있었다. 창동의 한 비평가 박재호는 변상봉의 선의 그런 도취적 흐름에 감탄하였다.

변상봉은 누드의 하체에 필력을 집중시킨 화가였다. 그리고 그는 미술 비평가 케네스 클라크(Kenneth Clark)가 구별한 '누드'(nude)'와 '벗겨진 상태'(naked)를 미적으로 감지하는 눈을 가졌던 예인이었다. 상식적으로 누드라고 하면 아름다움의 대상이지만, 'Naked'는 성적 의미를 띤 벌거벗은 알몸상태란 것이다. 변상봉은 벗겨진(naked) 여인의 부끄러운 하체를 그리려 한 것이 아니라 ,자신의 필력이 여체미의 가장 정교한 부분에 합당한 수준에 이르렀는가를 스스로 시험해 보고 싶었던 것이다. 한 순간에 일필로 그려진 그의 누드 소묘의 필선은 힘차고 정확했으며 두 발과 음부는 독특한 채색으로 처리하였다. 여성의 누드에 대한 찬미는 서구미술과 문화에서 잘 확립된 전통이다. 그리고 이 점은 이것은 에로티시즘을 연상케하는 은밀한 예술 형식이었음은 잘 아는 일이기다 하다.

변상봉은 타고난 선의 대가였다. 그 화가의 누드의 선만큼 감치는 맛을 보여주는 그림은 드물 것이다. 아마도 선은 시각 요소들 중에서 가장 핵심적이고 보편적이다. 대상을 포착하는 선은 명확하고 지적이다. 그 굴곡과 패턴이 대단히 복잡해질 수 있지만 그 어디에도 모호하지 않았다. 그리고 사실성에 근거한 선은 근본적인 자연과의 동일화를 통해 의미를 전달하였다.

구름 할배라면
이 고장 사람들이라면
최운 선생이라 알고 있습니다.
그런데 합포만에서 기어나온
최운 선생의 게들이
바다로 되돌아가지 않고
삼복 구름을 헤치고
힘들게 서마지기고개를
기어 넘으려 합니다.
마침내 게들은 모두 꽃게들이 되고
꽃게들은 나비가 되고
최운 선생과 같이
서마지기 고개를
가볍게 훨훨 날아갑니다

　위의 시 한편은 창동의 허세비 시인 이선관이 최운에 대한
고별의 시이다. 이 시인은 최운을 형님이라 부르며 함께 짝을
이루어 둘이서 고모령에 수시로 드나들었던 사이였다. 참고로,
고모령의 주인이었던 문자연은 창동의 백수 예인들의 큰 엄마
노릇을 해 온 고마운 여걸이었다. 이 주점을 드나들었던 창동
화가들 중 그녀에게 외상으로 혹은 공짜로 술을 얻어마시지않
는 이가 드물었다고 하였다. 최운은 유난히 많은 게를 그린 화
가였다. 그의 게 그림 제목은 다양하다. '나들이', '해변을 산

책하다', '게싸움', '동반자', '유랑', '게 두 마리', '군락', '폐하', '가족' 등 그림의 제목들이다. 그의 게는 모두 마산 앞바다의 갯벌에 살던 게들이다.

최운의 그림세계는 구상적이고 묘사적이었다. 그는 자신에게 친숙한 마산 앞바다의 풍경이나 꽃게들을 그렸다. 무엇보다 작품의 주제를 강조하기 위해 배경을 생략하는 기법을 택하였다. 이러한 구도는 전통적인 한국화의 원근법을 연상시켰다. 화면의 하단부에 배치된 부분은 근경에 속하고 상단부는 원경이라는 뜻이다. 뿐만 아니라 그의 그림의 대부분은 화가의 일필휘지의 필력을 돋보이게 하는 소묘들이다. 그는 대부분의 화가들이 취한 탈 사실주의적 추세에 무심했었다. 그의 예술 세계는 자신의 삶을 지배해왔던 환경, 즉, 마산의 앞 바다와 갯벌 그리고 그 속의 게 새우 그리고 섬과 고깃배 등 을 주제로 한 대상을 집중적으로 선택하여 묘사하였다. 이 화가에게 중요한 것은 회화적 지성보다 장인적 손의 필력이었다.

최운의 작품 '바다'가 특별히 눈에 띄는 점으로, 그 풍경은 조선 후기의 진경산수화가 겸재의 기법이나 그 시대의 문인화가 강세황의 그림 '영통동구' 의 풍경을 얼핏 연상케하였다. 그 그림은 최운이 지금 문신 미술관 자리의 언덕 어딘가에 서서 멀리 내려다보이는 마산 앞바다의 전경을 진경산수의 기법으로 그린 풍경화이다.

의외로 그의 게 그림 중에는 1960년대의 시대상을 표현한 그림 제목이 있었다. '4.19'와 '3월'이 그것이다. 마산 출신이라면 누구나 쉽게 짐작할 수 있는 것은 게 그림이라는 이름이 붙

은 이 그림이 315봉기의 현장을 표현하고 있다는 것이다. 내게
는 그런 게 그림들이 훨씬 더 직접적이고 현실적이었다. '3월'
이라는 제목의 그림은 분명 당시의 한 장면을 그린 그림이었
다. 행진하는 게들 중에 하얀 배를 드러낸 채 누워있는 게는
데모중에 총탄에 맞고 쓰러진 김용실을 상징하고 있음에 틀림
없었다! 마산 앞 바다 위의 등대, 불종로 거리의 코어 베이커
리, 창동 인근의 전통적인 가구거리 등 그의 삶의 흔적이 그
그림의 주된 대상이었다. 그 익숙한 이미지와 소리가 발걸음과
함께 자연스럽게 그의 의식 속에 녹아있었을 것이다.

창동의 불종거리와 남성동 파출소 앞 네거리는 한때 내 삶의
중심축이었다. 한동안 배낭 여행자로 바다건너 낯선 땅을 떠돌
다 결국엔 소리없이 이 창동으로 더시 돌아와 지여화가들의 화
실들을 기웃거렸다. 나에겐 개인적으로 '유틀리로의 골목'이라
이름붙인 골목길이 있었다. 남성동 우체국 앞 골목길이 그곳이
다. 그 좁은 골목길의 빛 바랜 벽돌담 사이 사이 이어진 잿빛
회반죽 선이 고풍스러워 나는 어시장 쪽에서 창동으로 향할 때
일부러 이 골목길로 들어서며 이런 저런 몽상을 하였다.

이 좁은 길은 유틀릴로의 그림속 처럼
진한 잿빛일 때가 제일 회화적이지.
최운이 살아있다면 이 골목을 행진하는 게들로 채우라고 권
유할건데.
현재호를 슬쩍 끌어들이면 ,

모르긴 해도 그는 이 담벽을 어시장 아낙들의 젖가슴으로 몽
상하며
손으로 더듬어 볼거야.
시민극장 맞은 편의 전통깊은 서점 학문당 뒷담벽을
그림사진들로 치장해서야 되나.
화가가 물감동을 들고 붓을 직접 휘둘러 그려넣어야
벽화 맛을 제대로 살릴 수 있는거지.

오 헨리가 그림을 좀 아는 작가였다면
그 이름없는 술쟁이 화가로 하여금 마지막 잎새를
그렇게 살아있듯이 사실적으로 묘사하지는 않았을거야.
내가 만약 화가였가면,
폐렴을 앓고있던 존시를 더욱 깊은 감동시킬 현대회화를 그
렸을텐데.
그가 그린 담쟁이가 어디 그림이야, 사진이지 .
오 헨리도 참 탁해요!
그림은 화가에게나 맡기고
살아남고,
죽어 떠남의 실존이야기에나
관심을 둘 일이지.

5. 뉴욕의 노화가, Po Kim의 향수

미국의 뉴욕의 화단에서 활동해 온 재미화가 김보현(Po Kim)은 오랜기간 한국과 그리고 그의 고향을 멀리하고 살아왔었다. 그는 최근까지만 하더라도 경남지역 미술계에서나 심지어 자신의 고향 창녕에서 조차 그 이름이 생소한 화가였다. 이런 Po Kim이 지난 2011년 5월, 아흔이 넘은 몸으로 고향 창녕을 방문하게 되고, 급기야는 10월에 다시 고향을 찾아와 창녕의 도성암 암자 근처의 계곡에 조각공원을 조성하겠다는 구상으로 밝혔다.

우리에게 낯선 Po Kim의 창녕방문은 전혀 뜻밖에 이루어진 일이었다. 일차적으로 창원 mbc의 김창환pd의 눈에 뉴욕의 화단에 활동중인 그의 고형이 경남 창녕이라는 점을 알고 그 화가에 대해 한번 취재할 마음이 생겼다. 김pd가 먼저 나에게 전화로 뉴욕의 po Kim에 관해 알고있느냐고 문의하였다. 김 pd는 이 노화가의 고향이 경남 창녕이라고 밀해주면서 그 화가의 기억속에 남은 고향의 도성암과 어머니와의 마지막 이별에 관해 우연히 들어 알게되자 김 pd는 그 화가에게 방송인으로서 관심이 생겼다는 것이다. 나는 세계 미술계의 중심인 뉴욕에서 잘 알려져 있다는 이 화가에게 그리고 그의 그림세계가 어떠한지 강한 호기심이 생겼다. 나는 뉴욕의 브루클린에 거주하는 러시아 유학생 Maria Balbarova에 이메일로 Po Kim이라는 한국인 노화가를 알고있느냐가 물어보면서 그의 뉴욕 맨허턴의 주소를 좀 찾아 알려주면 고맙겠다는 이메일을 보냈다. 마리아는 전에 내가 시베리아 여행중에 만나 이메일을 주고받는 사이가 된 러시아인 유학생이었다.이것이 발단이 되어 급기야 Po Kim이 창녕을 두차례나 방문하게되었고 창녕의 도성암 근처에 자신의 조각공원을 조성할 계획까지 세우게 되었다.

다음은 Po Kim이 그의 고향 창녕을 2번 방문하게된 객관적인 과정의 자료들이다.

Mar. 2011
To: Maria Balbarova
Fr: Gg
헬로, 마리아
………맨허탄에 거주하는 한국인 화가 한 분에 대해 이곳 지역TV 회사에서 큰 관심을 갖고 있습니다. 그 분은 PoKim이라는 94세 화가로서 현재 Lafayet거리에 Sylvia Wald & Kim Gallery라는 이름의 작업실을 갖고있다고 합니다. 그 화가와 소통하고싶습니다.가능하다면, 주소와 이메일번호를 좀 알고싶습니다.!
Gg

뉴욕에 거주하는 그 러시아인 유학생 마리아는 즉시 내게 이메일로 화가의 주소를 알려주었다.

Mar. 2011

To: Po Kim

Fr. Gg

처음 뵙겠습니다. 저는 경남 마산에서 주로 그림에 관한 비평의 글을 쓰는 작가, Gg입니다.

현재 이 지역의 mbc tv방송국에서 선생님에 관해 깊은 관심을 갖고 있습니다. 이 방송국에서는 선생님의 고향이 경남 창녕이라는 점에 특히 주목하고 있습니다. 이 곳에서 일하고 김창환pd는 선생님의 삶과 그림세게를 이 지역에 알리고 싶어합니다.

파리에서 활동하셨던 마산 출신의 문신조각가를 마산이 자랑스러워하듯이 ,때가 오면 창녕이 또한 뉴욕의 화가 Po Kim을 고향의 자랑스러운 인물로 여기게 될 것입니다. 선생님에 대한 이 곳 사람들의 깊은 관심과 호기심을 우선 몇자 글로 보냅니다. 참고삼아 제가 마산 창동의 화가들의 그림세계에 관해 집필한 <창동 인 블루 2>를 함께 보냅니다.

혹시, 이메일 쓰기가 더 편하신지요? 저의 이메일은 다음과 같습니다:

jhkmsn@yahoo.com입니다

3월 27일, 2011

Gg 올림

April. 2011

To: Gg
Fr: 뉴욕의 Po Kim
(emailed)
Gg에게!
안녕하십니까. Po Kim입니다.
반갑습니다
뜻밖에 보내주신 서신과 책 잘 받았습니다.
창원의 mbc방송국과 여러분들이 저에 대한 깊은 관심을 가지고 계시다니 기쁩니다.
고맙습니다.
Bye!
PoKim

April, 2011
To: Po Kim님
Fr: Gg
김선생님! 그 동안 mbc측과는 자주 소통고 계시겠지요? mbc의 김 pd는 신뢰감이 깊은 분이라 선생님과 의미있는 대화나누면서 좋은 진척이 있으리라 여겨집니다. 저는 마산의 도심 창동에서 활동하는 지역화가들과 교류하며 지냅니다. 요즘은 자주 뉴욕의 현대화화들을 살펴보고 있습니다.
선생님의 그림세계가 어떤지 궁금해 하며
Gg

April. 2011

To: Po Kim

Fr: Gg

mbc측으로부터 여지껏 아무런 연락을 받지못하였다고요? 제가 mbc 측에 선생님의 이메일과 주소를 진작에 알려주었는데요! 선생님이 황당해 하였으리라 생각하니,여간 송구스럽지 않습니다. 방송국측에 무슨 시정이 있었는지 알아본 후 즉시 이메일 드리겠습니다.

김pd는 평소 믿을 만한 사람이기에 조만간 연락이 갈 것으로 믿습니다. 나는 이번 일에 대해 힘깻 그를 도와 주고 싶었습니다.

무엇보다 5월 중순에 선생님이 광주 오신다니 좋은 기회가 될 것 같은 예감이 듭니다. 이제부터는 제가 좀더 자주 선생님과 이메일 소통을 하겠습니다.김 pd에게도 선생님의 5월 귀국을 알리겠습니다. 사실 그동안 mbc측이 선생님과 직접 교신하는게 더 좋을 것 같이 일부러 저는 옆으로 비껴 있었습니다.

즉시 김pd에게 연락하여 선생님께 연락 드리라고 하겠습니다

송구스러운 마음을 전하며,

Gg

April, 2011

To: Po Kim

Fr: mbc 김pd

....

78

이제 한국방문이 며칠 앞으로 다가왔군요. 창녕군에서는 선생님께서 기억하는 옛 창녕지역과 관련된 어떤 에피소드나 얘깃거리가 좀 더 있으면 눈치였습니다. 선생님이 살았던 옛 동네 이름 등을 알고 싶어합니다.

너무 오래되어 기억할 수없는 것이 대부분이라 여겨집니다만, 선생님의 성장기 또는 그 밖에 창녕과 관련된 회상의 흔적을 알려주시면 고맙겠습니다.

저희 방송사에서는 선생님의 이번 고향 방문이 의미 깊은 행사가 되도록 일정을 마련할 계획입니다. 선생님의 유소년기와 관련한 장소나 자료를 가능한 한 좀 더 많이 알았으면 좋겠습니다.

또 연락드리겠습니다

mbc 김창환드림

May, 2011

To: mbc 김 pd

Fr: 뉴욕의 Po Kim

오늘 이메일 고맙게 잘 받았습니다. 지금으로서는 창녕이름과 어머니가 계셨던 도성암, 옛 군청 그리고 등기소 정도가 전부입니다. 그 산의 이름도 잊었습니다. 다만 산봉우리까지 등산하여 산봉에 있는 분화구 그리고 저수지가 기억납니다.

1955년 제가 미국으로 떠날 때 창녕 도성암자에서 지내시고 계시던 어머니를 찾아가 거기서 일박하고 내려온 것이 창녕에 대한 저의 최후의 기억입니다. 그 때 어머니께 제가 미국으로

간다고 말하면 크게 실망하고 염려할까봐 그냥 '어머니를 뵈러 왔습니다'라고 말하였습니다. 그러나 저는 이것이 마지막이 아닐까 하는 예감으로 마을에 내려 올 때가지 눈물을 금치 못하였습니다. 결국 이것이 마지막이었습니다. 도미한 후 32년 만에 처음으로 고국을 방문하고 서울, 경주를 다녀 온 적은 있습니다.

혹시, 하루 당일 여행으로 서울에서 대구 경유 창녕 그리고 서울로 돌아올 수 있을까요? 그렇다면 5월 26일 혹은 27일에 가 볼 수 있도록 스케줄을 생각해보겠습니다. 확정이 되면 즉시 알려주십시요.

무엇보다 제게 그렇게 많은 관심을 가져 주셔서 감사합니다.

PoKim(김보현)

May, 2011

To: Gg

Fr: Po Kim

오늘 이메일 고맙게 잘 받았습니다. 저에 대해 여러분들이 많이 관심을 가져주셔서 고맙습니다. 아래는 저의 여행 일정입니다.

5/19 오후 광주 도착

5/23 오후 서울로 출발

5/? 서울 출발 뉴욕행 비행기 탑승

PoKim드림

To: Pokim

Fr: Gg

광주 조선대학교 측과 우선 전화나 팩스로 상의하겠습니다. 신속히 회신해주셔서 고맙습니다. 선생님의 그림세계와 관련한 국립햔대미술관 회고전 화첩과 조선대학교 김보현 작품전 자료 등을 참고 자료로 삼겠습니다.

우선 창녕군에 한번 다녀올 마음입니다. 창녕군 인사들에게 뉴욕의 화가 Po Kim이 창녕군출신 인물임을 알려주고 , 이 분이 5월 중순경에 한국을 방문할 것이라고 말해주었습니다.

경남 지역의 대표적인 신문사 경남신문의 문화부 편집인에게도 위의 사실과 선생님의 작품세계에 대해 ,때 놓치지 않게 브리핑 해줄 것 입니다.

다시 연락하겠습니다.

Gg

To: Gg

Fr: Po Kim

이메일 잘 받았습니다.

저에 대한 정보는 2007년 10월부터 2008년 정월까지 국립현대미술관 초청으로 열린 60년 회고전 전시 자료,' 고통과 환희의 변주'를 보시면 충분하리라 여겨집니다.

이 전시책자는 한국 서점에서 판매되고 있는지는 잘 모르겠습니다. 확실한 것은 국립현대미술관에서 구입할 수 있을 것입니다. 그리고 제가 창녕에서 출생했다는 기록이 그 책자 뒤쪽

연보에 있습니다.

Pokim

To:mbc김pd

Fr: Gg

광주 조선대학교측에서 내게 2006년 Po Kim(김보혀) 특집을 다룬 Art in Culture 잡지를 보내주었습니다. 신통하게도, 그 안에 김보현의 창녕 흔적들이 꼼꼼하게 담겨 있기에 알려드립니다. 그의 가족들의 이름들, 아버지 김창수, 형 김재호, 김창덕 이름들이 있었습니다. 그리고 그 책자에 '아래' 내용이 요약되어 들어있어 우리들의 궁금증을 많이 해소할 수 있을 것입니다. 내일 12시 점심 자리에 그 책을 가지고 나가겠습니다.

Gg

'아래'

1. 청년기 전후

1917년 창녕에서 김해김씨 김재호의 3남 2년 중 막내로 출생.

창수라는 아명으로 불리다.

2살 때 가족이 대구로 이사, 대구에서 다시 어머니와 함께 창녕으로 돌아가다.

일본인 대서소에서 조수로 일하다.

일본행 그리고 태평양 미술학교와 메이지 법대에서 공부.

1944년 일본에서 광주 출신의 아내와 결혼, 귀국, 광주 조선대에 미술과 교수로 부임.

1950년 6.25 전후 광주 조선대 시절 목포 결찰서에서 공산주의자로 몰려 혹독한 고문 당함. 그리고 이어 인민군 치하의 광주에서 미군 앞잡이로 몰리다.

1955년 미국 일리노이 대학교 교환 교수로 도미이래 미국에서 반세기 동안 고향을 등진 디아스포라 화가로서의 삶.

2. 창녕에 대한 향수

고향이라면 그에겐 어머니의 삶의 흔적이 담긴 도성암아 전부이다. 그 암자에서 그는 어머니와 두번의 이별의 아픔을 겪었고, 그것은 지울 수 없는 회한으로 남다.

To:겸남신문 k부장

Fr: Gg

제목: Po Kim(김보현)

....

뉴욕의 Po Kim화가 이야기의 계속입니다. 일주일 전에 광주 조선대학교 미술대학을 방문하여 그 곳 미술관에서 얻어 온 김보현 화첩과 관련 에세이 자료들을 통해 Po Kim에 대해 좀 더 알게 되었습니다.

저는 이곳 창원지역에 처음으로 발걸음을 하시는 그분을 온 마음으로 따뜻하게 맞이하고싶은 마음입니다. K 문화부장님에게 이렇게 긴 내용의 이메일을 보내는 것은 저의 그런 마음을 전하고 싶어서 입니다 .

현재 mbc김pd가 Po Kim과 서로 연락하면서 창녕방문 일정을 맞추고 있습니다. 창녕군과도 서로 일정을 조율하고 있습니다.Po Kim 화백은 이 달 오전 이곳 마산에 도착 창녕을 방문할 것으로 예상됩니다. Po Kim 화백은 이달 19일 광주 조선대학교 미술대학 김보현 기획전 개막에 맞추어 귀국합니다. 저는 20일 그곳 미술대학에서 그 분을 만나기로 예정되어 있습니다. 그리고 그분은 25일 9시 서울에서 마산으로 향을 것입니다.

만일 일정의 변경되면 독 알려드리겠습니다.

Gg

To; Gg

Fr: 뉴욕에서 PoKim

안녕하십니까?

광주에서 그리고 창녕에서 김 선생을 뵙게 되어 대단히 반가웠습니다.

그리고 좋은 인상을 받았습니다. 오는 9월 29일 조선대학교에서 김보현 미술관 개관식에 초대되어 다시 광주로 가게 되었습니다. 갑자기 고향이 또다시 생각이 나 창년과 창원을 방문할까 합니다.

만일 어느 기회에 뉴욕에 오시면 반갑게 맞이하겠습니다.

더운 날씨에 건강하시고 안녕히 계십시오.

뉴욕에서 Po Kim

To: Po Kim

Fr: Gg

......선생님과의 첫 교신을 시작에 이어 창녕 방문에 이르기까지 2개월간 저는 신나는 놀이에 몰두하는 소년처럼 하루하루를 신나게 보냈습니다.

다음 주 중에 마산mbc에서 김보현선생님의 그림과 삶이 tv로 소개될 예정입니다. 그저께 김pd가 점심자리에서 말해주더군요.< 뉴욕의 김보현 화가 고향창녕방문> 타이틀로 방영될 것이라더군요.그리고 김남신문에 실릴 기사내용과 더불어 뉴욕의 주소로 우송해드리겠습니다.

또 연락드리겠습니다.

Gg

To: Gg

Fr: Po Kim, 뉴욕

June 26, 2011 편지

보내주신 서신과 동봉한 신문기사, 반갑게 보았습니다.

지방에서 의미있는 일을 하고 계시는군요. 참 보기에 좋습니다.

mbc의 김 pd님이 그 지역에서 방송한 것을 file로 보내주셔서 반갑게 보았습니다.

그 프로그램을 본 뉴욕의 지인들은 제 얼굴이 너무 잘 나와 혹시 분장을 하고 찍었느냐고 물었습니다.

김pd님께 저의 개인적인 구상을 간략하게 이메일로 보냈습니다. 전번 창녕의 도성암에 갔을 때 그곳 암자에서 혼자 생을 마감하셨을 어머니에 대한 불효를 어떻게 값을 길이 없을까 생각했습니다. 그래서 그 암자 근처 계곡에 그 곳 경관과 조화를 이루는 암석 조각정원을 저의 말년 기념작품으로 제작하여 군에 기증하고 싶습니다.

물론 계곡 땅은 국가의 소유지일 것이라 당국의 허가와 지역민의 도움이 필요하니 쉬운 일은 아닐 것으로 여겨집니다.오는 10월초에 창녕과 창원을 방문할 예정입니다. 그 때 또 말씀드리겠습니다.

난필을 용서해주시기를!

뉴욕에서 PoKim

끝으로, Po Kim의 예술세계를, 이래 저래 접하게 된 관련자료들을 통해 나름대로 정리하여 아래에 요약하였다:.

'아래'

김보현 선생의 화업은 광주라는 아시아변방에서 서구 중심의 현대미술의 경향을 인식하는데 많은도움을 준다. 그의 예술세계는 1960년대 이후의 서양미술사의 흐름을 엿볼 수 있는 좋은 예가 되고있다. 김 화가 1950년대 중반에 미국으로 건너가 미국의 추상표현주의를 몸소 체험한 작가이다.호남화단의 오주호 화가가 일본에 유학한 인상파 계열의 화풍을 도입했지만 김보현은 미국의 추상표현주의를 받아들였다.

70년대 후반 이후의 그림은 유럽에서 활동한 유학파 동양화가들의 경향과 일맥상통한다. 이 점은는 서구화풍과동양적 감성을 결합시키는 노력을 보여주고있음을 의미한다. 그리고 그는 1960년대 후반과 70년대 초반에 점차 추상에서 벗어나 구상적인 드로잉 작업을 시작한다.70년대 후반이후 소품연작은 정물의 사실주의적 묘사에서 벗어나 전통산수화와 같은 전경을 떠올리는작업세계를 보여준다.

김보현은 오주호와 다른 화풍을 보여주고있다. 그의 작품세계는 사실주의를 바탕으로 한 관념적 자연주의예술관을 나타내고있다. 이러한 그의 작품세계는 그의 삶속에서 우러나온 것이라 할 수 있다. 그는 '그림이 시 같고 소설같은 것이어야한다'고 말했다. 그가 환상세계를 그릴 지라도 현실세계로부터 도피한 것이 아니었다.그의 그림 가운데에 싯적 이미지가 내포하고 있었다.

참고로,미술평론자 김영나씨가 김보현의 그림세계를 다음과 같이 3단계로 요약하고 있기에 여기에 덧붙인다:
1, 추상표현주의 시대
2, 정물화의 시각적인 매혹
3, 삶과 죽음 그리고 사랑의 서사시.

안타깝게도 Po Kim은 자신의 마지막 꿈이었던 도성암 조각정원을 이루지 못하고 뉴욕에서 자신의 디아스포라의 삶을 마감하였다. 마산의 문신 선생이 자신의 고향 이자 옛터였던 추산공원 언덕에, 문신미술관을 세우고 마산 앞 바다를 바라보며 생을 마감한 문신과 비교해 볼 때, Po Kim의 다이스포라의 생애는 비극적이다.

6. 이웃 화가들의 그림

한 때 경남여성작가회 인테넷 카페에 매달 한 편씩 그들의 그림에 대한 나의 개인적인 감상의 글을 1년 여 남짓 올린 적이 잇었다. 'Gg의 그림읽기'라는 타이틀 아래 이 경남여성작가들의 그림에 대한 개인적인 글을 자유로운 필치로 그 카페에 올린 게 그것이다. 이들은 대개 창원 마산 지역에 화실을 두었거나 ,아니면 창동 거리 한 모퉁이에 화실을 두고있는 여성화가들이다. 그리고 이들은 나, Gg가 창동 골목길에서 만나곤 하던 지인들이다.

1) 정순영의 '지하철 풍경'

낯선 이름의 이 화가 정순영의 유화작품 '지하철 풍경' 앞에서 나는 다시 먼길 나섬의 몽상에 빠져든다. 이륙하는 노스웨스트 여객기 한 대 눈 앞에 아른거리고 그 위로 오버랩되는 먼 도시 풍경들!
포틀란드의 도심의 '스타벅스 카페',
헤레스(Jerez)의 늙은 거리의 기타리스트,
그라나다의 플라멩코 동굴 홀에서 벌어지는 집시 춤,
그리고
모스코바 역 대합실의 검은 피아노와

시베리아의 은백색 자작나무 숲,

이어 물안개처럼 머리속에 피어오르는 랭보의 시 한 구절:

어쩌면 어느날 저녁이

나를 기다리고 있을거야.

그때

나는 어느 낯선 오래된 도시에서

술을 마시리라.

그리고 만족해서 죽으리라.

당시 마산의 3.15 아트센터 그림전에 전시된 정순영의 그 그
림 앞에서 떠 오른 그 몽상은 , 그저 한 개인의 자유로운 중얼
거림일뿐이지 ,그림 감상의 글이 아니다. 단지 그 무거운 색조
의 회화를 통해 ,화면 위에 나타난, 지하철을 기다리는 인물들
의 덤덤한 표정의 얼굴들이 담긴 그 지하철 역 풍경을 통해 일
순간 자신의 보헤미언적 환상 속으로 빠져들었을 뿐이었다. 전
에 만난 적도 없는, 이름이 낯선 그 화가의 그림앞에서.

화면 가득히 세로로 어울리는 둔탁한 질감의 선들이 이루는
지하철 풍경! 지하철을 기다리는 얼굴들의 흐릿한 표정은 플랫
폼의 깊고 어두운 공간으로 향하고 있다. 화면 뒤로는 틀림없
이 화가의 삶을 직시하는 누군가의 실존의 눈빛이 숨겨져 있으
리라. 온기를 띤, 그리고 진지한 시선이.

2) 김복남의 반추상 '장미꽃'

아래의 시는 김복남 화가의 장미꽃 그림앞에 섰었던 나의 심
안에 불현듯 떠오른
서정주의 시 '신부'였었다.
몇번을 보아도 김화가의 그림은 추상에로의 유혹에 빠져든
마네의 인상주의적 분위기를 연상시킨다.
그녀의 붓질은 거침없고 색채는 유려하다 그리고 그 추상은
덧없이 사라질 아슬 반짝임을 닮았다.

'아래'

화가의 붓끝이
캔버스 위로 미끄러지면
물감은 장미꽃이 되고
아침이슬이 되고
어느 새 한 줄의 시가 된다.
서정주의 아득한 전설이 된다.
선과 형태가
색채속으로 녹아드는
화폭위의 신부는
연두색 바탕에
다홍빛 고운 신부는
휑하나 신방을 나간 신랑을 기다린다.

철딱서니 없는 신랑을 기다린다.

50여년이 훨씬 지난 어느 날
신부를 다시 찾아와 그 방문을 연
늙은 신랑 눈앞에
환갑 진갑 다 지난 신랑의 눈 앞에
신부가 첫날 밤 모습그대로 돌아앉아 있다.

반가움으로
그리고 더없는 미안함으로
신부의 어깨를 가만히 껴안은
그 늙은 신랑의 품 안에서
신부는 고만 연두색 바탕의 다홍색으로
스르르 무너져 내린다.

3) 최행숙의 '무제'

C작가님!
<창동인블루 3> 출간이후 요즘엔 주로 창원대학교 도서관에
묻혀 지냅니다. 도시락을 싸들고 와 젊은 이들 틈에 끼어 지냅
니다. '저 하늘나라의 천당은 아마 거대한 도서관이 아닐까?'
바슐라르는 그렇게 상상한 적이 있었답니다. 저 하늘이 정말
그런 공간이라면 저도 하늘 나라에 가고 싶습니다. 그런 거대

한 도서관이라면 말입니다. 그리고 그 도서관의 어느 한적한 곳에서 기타연주의 바흐곡을 듣고도 싶습니다.

얼마전 함안 문화센터의 그림전시장에서 우연히 '무제' 타이틀의 풍경화 한 점이 눈에 들어오기에 한 참이나 기분좋은 느낌으로 그 풍경앞에 서 있었습니다. C님의 유화작품이었습니다. 선생의 그림들은 내가 만날 때마다 새로운 느낌을 주더군요.

2차원의 평면은 그저 선생의 놀이공간이었습니다. 거기 담긴 것은 풍경이 아니었습니다. 두터운 회백색 물감 덩어리의 꿈틀거림, 직선과 곡선의 유기적 교차와 어울림, 그리고 구도의 조화를 무시한 유희적 역동성의 붓짓! 그림의 그림다움에 점점 다가서고 있다는 느낌을 받았습니다.

그 그림을 보고있는 동안 ,새삼 그림에 대해 다시 글을 쓰고 싶어졌습니다.

그 앞에서 한 참이나 서 있었습니다.

그림을 만나는 것은 제게는 의미있는 일입니다. 눈이 맑아진다는 뜻이거든요.

Gg

4) 김진숙의 향긋한 그림 '보자기'

경남여성작가회 카페에 새해 첫 그림으로 올려져 있는 김진숙의 그림 '보자기'에 관한 '그림읽기'는,

먼 땅 벤쿠버에서 내 앞으로 보내 온 아래의 이메일 한통으로 대신하였다. 캐나다 인 여행가이자 화가인 도나 모리슨이 쓴 이메일 한쪽에 이 '보자기'에 관한 그녀의 개인적인 감상이 그것이다. 그녀의 이 편지 내용을 내가 우리말로 옮겼다.

'아래'

Gg에게

헬로우! 진숙씨가 궁금해할 나의 소식부터 먼저 전하는 것으로 이 편지를 시작하려고해요. 지난 해 5월 대우(롯데)백화점 앞 '삼대'초밥집에서 우리 셋이 만났던 그 다음 주, 나의 뜻과는 상관없이 불가피하게 급하게 한국을 떠날 수밖에 없엇던 사정이 내게 있었음을 이해해 주세요. 세상사는 일, 만만하지 않은게 어디에도 없잖아요. 하물며 든든한 보호막 없이 혼자 미지의 땅을 돌아다니다 보면, 예상밖의 당황스러움에 가슴 철렁해지는 일이 생기기 마련인걸요.

그동안 남미의 볼리비아와 페루쪽으로 한 바뀌 돈 후 지금은 이 곳 캐나다 BC의 한 마을에 모처럼의 마음의 닻을 내렸어요. 이곳의 삶의 하루 하루가 여행때와는 달리 건저하고 지겹지만, 이제는 웬만큼 이에 익숙해지고 있어요. 그리고 새로운 행복감도 생기고요.

얼마전 이 곳 고향 근처에서 만난 캐나다인 석유전문가 Andy와 점점 가까워지면서 그래요. 그는 마음이 너그러운 홀아비인데, 무엇보다 그의 손자들이 나를 따뜻히 맞이해주어 더우 그렇습니다.

이해하기 힘들겠지만, 한동안 나는 이국땅에서가 아니라 바

로 내 고향에서 오히려 역문화충격(counterculture shock)에
시달려야만 했었습니다. 몇년을 신나게 떠돌며 지내다 돌아온
고향이 그 질식할 듯한 단조로움으로 나를 억눌렀습니다. 지금
은 괜찮아졌지만.

이 이메일을 쓰고있는 지금 마산의 창동 입구인 불종거리가
내 눈앞에 나타납니다. JS의 꽃그림, 자화상, 보자기 시리즈
사이에서 함께 커피 향을 즐겼던 그녀의 화실, 한국인 도예가
S와 함께 달콤한 재즈 연주를 들었던 카페 '자이언트 스탭',
그리고 그날 처음으로 그 재즈 연주자 Tim을 통해 Gg를 알게되
기도 하였지요. 인사동의 한 지하카페에서 본 신촌 블루스의
재즈 연주는 정말 매혹적이었어요. 아, 다시 그 곳으로

날아갈 수 있다면!지금 억누르기 힘든 먼 여행의 충동을 느
낍니다.

이메일로 보내준 JS의 근황과 그녀의 '보자기' 그림 시리즈
를 잘 보았습니다. 평소에 그녀의 작품 성향에 대해 말을 아끼
던 Gg께서 이 '보자기 ' 앞에서 " 차가운 듯 향긋한 기품"을
느낀다고 말했습니다. 화려한 색채 에너지가 명확한 선의 형태
안에 잘 통제되어 있어 그렇게 표현한 것 같아요. JS는 현실의
규범적 질서의식과 몽상적 동경이 내면에 혼재는 이른바 기품
과 열정을 가진 여인이라고 말하고 싶어요. 그녀에게서 평소에
도 그런 느낌을 받았습니다. 그녀는 내게 물결 출렁이는 바다
보다 숲이 깊은 산을 더 좋아한다고 내게 말한 적이 있었습니
다. 그와 아울러 소녀시절이래 늘 보고 자랐던 마산 앞바다의
물빛과 파도가 그녀의 무의식 속에 깊이 숨겨져 있는 것 같다

고도 말했습니다.

오늘 이래 저래 말이 길었습니다.

See you!

Donna

5) 김경미의 '영혼의 뜰' 앞에서

화가 김경미는 어느 시점에서부터 점점 자연의 풍경으로부터, 형태의 환영이나 명암의 공간성으로부터, 자유로워졌다고 말하였다. 오래전 마음의 베에 담아 숨겨두었던 화사한 5월, 뒷동산의 노란 들꽃들을, 한 여름 초옥위로 날아다니는 반딧불의 경이의 불빛을, 12월 송가의 새벽빛 꿈을, 지금은 화가가 된 한 소녀의 손으로 캔버스에 일구어 놓은 '영혼의 뜰을 통해 그녀는 색채의 자율성을 깨닫는다고 한다. 요컨대, 형태의 도우미였던 색채가 형태보다 더 깊은 영적 울림을 띤다는 것이다. 마치 춤이 그 어떤 말보다 더 영적인 것처럼 말입니다. 이 점을 나는 그라나다 여행 중에 직접 현장에서 체험할 수 있었습니다. 김경미는 화가로서 창의적 명상에 돌입하기 위해서는 자연의 환영으로부터 철저히 자유로우워야 한다는 믿음을 가진 듯 합니다.

Gg

위 감상문에 대하여 김경미 화가는 여성작가회 카페에 회신을 올려 놓았습니다. 그 중 한 부분을 아래에 옮깁니다.

'아래'

........감수성이 풍부하고 순수했던 소년시절 사랑하는 할머니께서 물려주신 아름다운 조각보의 빛갈, 파리 유학시절에 느꼈던 색채로 인한 문화적 충격, 빛이 내리는 노트르담 성당 천정의 경이로운 스테인그라스, 어린 딸 아이가 무심코 잘라놓은 색종이가 보여주는 초현대적 조형성, 부모님의 반짇고리에 담긴 신기하고 촌스러운 꽃 문양으기 천조각가들.....그런 것들을 저는 그냥 흘려 버릴 수 없었난 봅니다.

종이나 천이 갖는 평면성과 색채의 간결함를 추구하려다보니 불가피하게 작품의 가벼움, 또는 밀도감의 부족의 늪에 빠지게 되더군요. 이점은 제게 화가로서 풀어야할 숙제입니다. 그렇지만 이 숙제를 풀기위해 감상자와 타협하지 않는 것 또한 저의 숙제이고요......

추운 날씨에 몸 건강하시고, 추워서 더욱 맛있을 커피 한잔의 여유를 빠른 시일에 갖게되길 기대하면서. 이만

김경미

6) 최지영의 '달빛 아래의 합창'

"마침 벼루가 깨끗하여 붓을 들었다."

최지영 화가의 이 한마디 싯귀!

묵향 즐기며 때묻지 않고 나이들어간다면 그 누가 늙어감을
두려워하겠는가.

그녀의 수묵담채 그림 '달빛 아래의 합창'에는 지나 온 삶을
먹과 붓의, 그리고 추사의 '문자향 서권기'정신을 삶의 길잡이
로 살아왔다는 그녀의 긴 인고의 삶이 달빛 아래에 아름답게
녹아있다.

그동안 그녀를 만나지 못한 게 족히 10년은 훨씬 더 넘었나
보다. 오직 그들- 먹과 화선지 그리고 붓-곁에서만 살아온 한
이름없는 화가로 지금 내 앞에 사서 미소짓는 그녀는 그동안
내가 누려온 범속한 삶을 더 없이 부끄럽게 한다.

최지영은 그 성실함이 내가 과외수업을 위해 창동골목길을
드나들던 옛 시절이나 지금이나 어찌 그리도 한결 같을까! 한
지 위로 스치는 최화가의 붓 끝에서 연록의 새잎이 하나 둘 돋
아나는 포도넝쿨 사이 사이로 젊은 나이의 그녀의 옆 모습과
(양장점의)실내 작업대 위의 여러 색상의 천 조각들, 그리고
그녀의 지금의 모습과 한지와 붓 등이 눈 앞에 흐릿하게 중첩
되어 떠오른다.

사슴 몇 마리, 매화 한 그루, 그리고 하늘의 푸른 빛 반달이
소박한 서체의 몇 자 글씨 곁에 간결하게 그려진 그녀의 이 그
림은 평면위의 색과 선의 단순한 미적 조화만이 아니다. 그림
은 내게는 개인적인 회상의 물방울이 수면위로 송글 송글 솟아
오르는 어떤 깊은 공간이 된다.

뿌연 안개의 장막 뒤편 저 쪽에서 떠오르는 아득한 날의 형

상들- 불종거리 아래쪽 골목길의 이층 찻집 '동녁'과 독일어 선생n , 사진 작가가 되고싶어한 Y, 그리고 나 Gg -이, 해만 지면 찾아들었던 그 '동녁'의 입술 도톰한 여주인! 최화가는 아마 잘 모르리라. 그 때 그녀의 옆집에 어린 아이 하나 데리 고 세 들어 살았던 티없이 맑은 눈매를 지녔던 그 충청도 여인 을 두고 우리 셋이 서로 경쟁하듯 좋아하였던, 아득히 먼 회상 의 골짜기에서 나타나 다가오고 있음을!

그녀의 그림은 아주 먼 지난 시간의 일들과,그렇게 멀지않은 것들이, 그리고 현재의 상황들이 물리적 흐름시간의 질서에서 벗어나 하나의 평면위에서 흐름을 멈춘 채 서로 이웃하며 내 눈 앞에 나타나는 것이었다. 기억하기 힘든 먼 과거와 15년 전 의 가까운 과거의, 그리고 최화가와 내가 공유한 기억들, 이를 테면 냄새나 소리 혹은 촉각적 사물들이 시간의 흐름에서 벗어 나 바로 현재의 것들과 나란히 되살아나 가슴에 감지되는 것이 다. 귀에 들리듯 눈에 보이듯 하는 것이었다.

" 그 땐, 선생님, 참 멋지셨는데! 지금과 달리 머릿결도 까 맣게 반질반질했고."

"지난 날의 창동시절 말이군요. 최화가는 모란 양장점에 계 시던 그 때에도 지금 처럼 종이위에 뭔기를 열심히 그리곤 했 었지요. 아, 그 영특했던 꼬마 오영주가 기억나는군요. 흰 백 지가 펼쳐진 널판지 위에 올라 앉아 연필을 손에 쥐고 최화가 흉내를 내던 하던 꼬마 아이! "

"그 오영주, 지금은 로마의 어느 대학에서 언어학을 강의 하 고 있다든데요."

"아,그래요?! 어릴 때부터 남달랐던 꼬마 소녀였으니, 능히 그럴 수 있을 거에요. '

" 그런데 선생님은 어느때가 더 좋습니까?

영어책을 옆구리에 끼고 창동을 드나들던,머리결이 윤이 나든 젊은 모습과

50대의 무심한 글쟁이의 주름진 얼굴과

그리고 많이 벗겨진 머리마저 허옇게 센 노인의 허무감서린 지금의 얼굴 중에서."

" 허허. 난, 최화가의 ' 달빛 아래의 합창' 속으로 녹아드는 지금이 좋습니다., 저 그림을 봐요. 신비롭게 내리는 저 달빛이 어떤 신화의 씨앗을 뿌리는 듯한 지금이 좋습니다. 그림이 불러 일으키는 회상들- 오영주의 선량한 아버지의 체크무늬 윗옷과 안경, 오영주네 집 식탁밑의 조는 고양이, 향긋한 한 여름의 참외맛, 그리고 어시장 등대 아래의 밤바다의 출렁임 등등... '누군가 어느 소설가가 햇빛에 바래면 역사가 되고, 달빛에 물들면 신화가 된다'고 말했습니다. 전 역사보다 신화가 좋습니다. 최선생님은 요?"

7) 이정남의 대숲

대나무 숲 머리위로 바람이 세차게 이는 이 화가의 '대숲'을 나는 세번이나 바라보았다. 가지들이 휘어져 부러질 듯한 강풍이었다. 그 바람은 이별을 예견하는 자의 눈 앞에 어떤 색채를

띤 존재로 한순간 홀연히 나타났다 사라졌었다.

붉은 듯 검고, 검은 듯 포도빛이며, 노을 진 하늘의 검붉은 잿빛 같기도 한 그런……

우연히도 그 순간 대나무 끝위로 먹구름이 급히 흐르고 있었던 것은 아니었을까? 그 바람의 현묘한 수묵 빛은 인간적인, 너무나 인간적인 것이었다.

첫번째 바람은 막막한 절망을 내게 안겨준 빛을 띠고 있었고, 두번째 바람은 수평선 위로 일렁이는 어슴푸레한 동경의 감미로움과 어떤 뼈저림을 느끼게하는 색채였다. 그리고 마지막 세번째 것은 오른쪽 가슴에 둔중한 통증을 느끼게 하였던 빛이었고.

지금은 작은 연못만이 흔적으로 남은, 그 결핵요양원의 번성한 벚나무 끝에 이는 그 첫 강풍을 나는 한 절망한 청년의 눈으로 보았고, 하늘이 유난히 짙푸른 먼 곳, 포틀란드의 도심, 파이오니어 스퀘어의 붉은 벽돌바닥에 앉은 한 나그네의 시선으로 길가의 미루나무 끝에서 그 두번째 바람을 보았었다. 그리고 그 세번째 바람을 본 것은 이 곳 창동의 한 골목길 어딘가에 있었던 파초나무의 붉은 꽃술대를 회상하는 한 몽상적인 시인의 눈으로 보았다.

이정남 화가가, 강풍에 부러질 듯 휘어지는 대숲 머리위에 그려놓은 바람소리에 나는 문득 해묵은 그 옛 바람을 다시 본다. 수묵빛 바람이 내 심안속으로 불어온다. 대숲 머리에 쌓인 눈과 여백, 곧고 굵은 대줄기와 탈속적 심의의 먹물선, 그리고 안개낀 대숲길과 연한 먹물에서도 그 해묵은 바람소리를 다시 듣는다.

오늘 이 화가의 대숲이 '대나무가 없으면, 속되기 쉽다'는 소동파의 이 한구절을 내게 귀한 선물로 주엇다. 이 화가의 대숲에 밤낮으로 집중하였던 지난 일주일은 애련의 마음으로 자주 탁하기 쉬운 내게 얼마나 정갈한 시간이었던가! 피사로는 자신은 영혼의 상처를 치유하기 위해 그림을 그린다고 하였다. 나는 피사로의 손을 한없이 부러워 하였다.

일상적인 어떤 말로나 글로는 드러낼 수 없는, 내면에 잠복해 있는 그 무엇이, 이 작가의 대숲의 바람소리에 내 안에서 깨어난다. 화가 이수문이 친 대나무의 바람소리를 들으면 눈이 맑아질 것이라고 현재호는 내게 한 적이 있었다. 이 작가의 대숲을 보며 그 말이 무슨 뜻인지 지금은 조금 깨달을 수 있다. 그녀의 대숲 앞에서 모처럼 흐릿한 두 눈이 맑아진다.

7. 천주산 고개위의 대금산조

창원의 천주산 정상이 올려다 보이는 산등성이.

그 높은 산등성이에서 아래로 산길과, 오른편으로 완만하게 경사진 언덕이 이어져 있고,

거기에 잡목들과 진달래 군락, 키 작은 소나무 그리고 떡갈나무가 눈에 들어온다.

그곳 빈터에 앉은 노인과 미국인 타일러 그리고 두 젊은 국악인이

언덕을 마주하고 앉아 쉬고 있다.

대금주자: (베낭을 챙기며) 이제 일어날까요?

노인: 아니, 여기서 걸음을 멈출 걸세.

대금주자: 예? 여기서 요?

노인: 그렇다네. 저기가 거길세

대금주자: 아무도 없는 이 높은 고개에서 요?

노인: (말없이 소나무들 사이로 보이는 해묵은 떡갈나무 쪽으로 시선을 보내고 있다.)

대금주자: 저 떡갈나무는 어린 소나무들보다 키가 커 바람에 많이 시달렸나보네요, 가지들이 여럿 부러져있습니다.

노인: 저 긴 세찬 바람의 길목이라.

대금주자와 장구반주자: 그런데, 저희들이 오늘 산조 연주를 여기서 하나요? (계속 의아해 하며 노인을 바라본다,)

노인: 그렇다네. 오늘 두 젊은 두 분을 초대한 곳이 바로 여길세

대금주자, 장구반주자: (다소 의외라는 표정으로) 아. 예에...... 그럼 이제 준비할까요?

노인: 아직은 아니네. 먼저 할 일이 있네.

젊은이: ......

노인: 하이, 타일러! 오늘 함께 이 높은 곳으로 산행하니 어때?

타일러: 모처럼 산에 오르니 좋은데요. 한적한데다 특별히 흐린 날씨라 걷기도 좋고.

노인: 타일러에게는 좀 낯선 풍경일 것 같아 함께 가자고 했다네.

사실은 이곳에서 곧 공연이 펼쳐질 것일세. 대금산조를 연주할 것이네.

타일러: 공연이라뇨? 그렇잖아도 궁금했습니다, 함께 산에 오른 두 젊은이 들이 제각기 악기들을 들고 있길래.

대금주자: 이런 인적 드문 산 속에서 흐르는 대금소리가 어떨까 저로서는 사뭇 궁금합니다.

타일러: 굉장히 탈속적인 풍경이 될 것 같아 내게는 귀한 체험이 될 것 같습니다.

노인: 자, 그럼 내게 먼저 하직인사를 할 것이네 . 그 다음

에 대금을 시작하게나.

두 젊은 국악인: 하직인사를? 누구에게요?

노인: 저 떡갈나무에게!

두 젊은 악사들: ??

노인: (한 참 후 노인은 자리에서 일어나 그쪽을 향해 큰 절을 올린 후 독백을 하기 시작한다.) 할머니! 오늘 이 손자가 여기 마지막으로 올라왔습니다. 이 손자가 이제 나이가 많이 들어 더 이상 이곳에 오를 수 없을 것 같습니다. 그래서 오늘은 마지막 작별의 인사를 올라 왔습니다. 여기엔 이제 할아버지도 와 계시고, 저의 아버지와 어머니도 오셔서 양지 바른 땅의 흙과 바람이 되셨습니다. 지난 날 보다 야 덜 적적할 것입니다.

오늘은 할머니에게 작별의 예를 드립니다. 그리고 저 뒤쪽 묘소에 잠드신 다른 한 분의 할머니에게도 저의 마지막 인사를 드립니다. 그 분은 저의 의붓 할머니 이십니다. 세상에, 스무 살에 돌아가시다니요! 그때 두고 떠나신 그 젖먹이 아기가 운 좋게 살아남아 저를 낳으신 아버지이십니다. 그 손자가 해마다 이렇게 여기 올라와 할머니 묘소를 보살폈는데. 이제 제가 여기에 오르기 어려운 노인이 되었습니다. 이제는 여기 할머니 곁에 올라와 계시는 할아버지, 또 한 분의 다른 할머니, 그리고 저의 아버지와 어머니에게도 마지막 인사를 올립니다.

두 청년 악사들과 미국인 타일러: (묵묵히 노인을 바라보고 있다.)

노인: (메고 온 가방에서 막걸리 와 마른 안주를 꺼내놓고 그 떡갈나무 쪽을 향해 엎드려 절을 올린 다음) 자 이제 대금 산조 차례 일세.

두 국악인: 아, 예.(대금주자는 앉은 채 대감을 꺼내들고, 장구주자도 그와 마주보며 앉는다.

타일러: (속으로 혼자서 중얼거린다.) 전통적인 의식은 생략하는 건가? 이 노인의 방식은 특이하게 자유롭군.

같은 공간

노인과 두 연주자

그리고 미국인 타일러

대금연주자: (대금을 손에 든 젊은이는 시선을 장구반주자에게 향하며 대금을 잡는다.)

장구반주자: (자신 곁으로 장구를 끌어당기며 채를 잡는다. 그런데 잠시 머뭇거리며 머리를 긁적이며 노인에게 한마디 한다) 저, 아무래도 목을 좀 축여 몸을 풀어야 겠는데요.

노인: 아! 그렇군. 미안! 나의 귀한 악사들의 그런 마음을 읽지 못하다니. (옆 바닥에 둔 막걸리와 마른 명태를 두 손으로 집는다.) 자, 자. 한잔씩들 들게나.

대금주자: 그래도, 어르신께서 먼서 드셔야지요....

노인: 그래, 그럴까. 그럼 내가 먼저 한잔 하겠네.

(장구반주자가 노인에게 먼저 술을 한잔 따르고 노인은 그 종이 잔을 비운 다.)

대금주자, 장구반주자: (둘이 가득히 따른 종이 잔을 비운 다.)

노인: 하이, 타일러! 자네도 한국의 막걸리 좋아하잖아.

타일러: Thank you. (그도 예의 바르게 술을 한 잔 거든다.)

장구반주자: (이윽고 장구채를 들며 대금 주자를 조용히 바라본다. 대금주자는 심호흡에 이어 몸과 마음을 수평으로 안정시킨 다음 천천히 연주를 시작한다.)

느린 장조를 시작으로 선율은 산고개의 적적함을 흔들어 깨우기 시작한다. 건너 쪽 언덕의 떡갈나무 쪽으로 시선을 보내고 있는 노인의 내면으로도 파고 들고. 장구소리는 이를 뒤따르며 그 흐름에 완급을 더한다. 대금의 취구를 벗어난 운율은 장단으로 이어지며 자유분방하게 흩어지다 모이고 ,떠는 음은 떠는 대로 , 밋밋한 소리는 밋밋함 대로 서로 밀고 당기며 산고개 너머 오솔길 따라 멀리 번져나간다.

타일러: (노인과 국악인의 대화를 한 참이나 호기심을 가지고 들으며 노인에게 귀속말로) 저...20년 전 시애틀에서 저의 호스텔 친구였던 그 인문이 지금의 당신이 맞나요? 오늘 보니, 순박한 한국인 노인으로 돌아가 있습니다. 그 때와는 매우 다른 모습인데요. 그 때 인문은 우리 젊은이들 틈에 끼여 자고 먹고 했잖아요. 우리 젊은이들과 함께 잭 케루악을 논하던 낭만주의적 보헤미언으로 보였었는데.

노인: (역시 그에게 귀속말로) 맞아, 그 땐 그랬지. 그 때만 해도 뭐랄까, 유혹적인 것에 강한 이끌림을 갖기도 했었지. '도취할 수 있는 자 만이 생의 본질을 본다'. 뭐 이런 표현을 좋아했었고……

타일러: (더욱 낮게 노인에게 속삭인다) 그 땐 삶의 의무보다 자유를 추구하는 유랑자 같은 분이었다니까요.

노인: (홀로 번져나가는 대금산조 소리에 귀를 모은다. 이어 노인의 독백의 중얼거림이 음조와 조화를 이룬다.)
고개에 올라서기만 하면
저 떡갈나무가 눈에 들어서고,
저기가 진달래 꽃밭이니,
스무살의 할머니를 여지껏 잘 도 찾아 왔었군,
거기 상석은커녕 비목조차 없는 무덤 속의 저분이
지난 날 아득한 시절의 소년에게는 막연히 그냥 할머니더니
지금 이 노인 앞에서는 스무살의 사댁이라니.
소년은 세월에 없혀 노인으로 변하고,
그의 할머니는 시간을 거슬러 새댁으로 되돌아가고,
여긴 시간의 흐름이 뒤죽박죽인가.
살아있는 자들을 등떠미는 시간이
어찌하여 여기 이름없는 풀잎 위에서는 그 걸음을 맘추는가!
봄나즐의 이름없는 산꽃
한겨울의 메마른 풀잎
스무살의 새댁,
나의 할머니!
할머니!
오늘은 이렇게 하직 인사를 올립니다.
오래전 언젠가 여기서

108

'어머니의 얼굴이라도 기억할 수 있다면' 하시며
눈물 적시던 아버지
그리고 아흔을 넘어 돌아가신 어머니도
이제 이 곳에 와 계시니
이 손자 그마나 가슴 아픔이 좀 들합니다.
혹시라도
언젠가 저도 한 줌의 재가 되어
그 떡갈나무 아래로 스며들겠지요.
(자진모리 장단의 흐름은 홀연히 노인의 심안에 어느해 깊은
가을날의 아련한 산길 풍경을 피어오르게 한다.)

(*해설자의 방백):
그 길은 굽이굽이 이어진다.
키 큰 밤나무가 잘 정돈된 가파른 길이 나타나는가 하면,
길가에 핀 이름없는 야생초들이 머리마다 분홍색, 노란색의
꽃들을 머리에 이고 줄지어 선 완만한 경사길이 그 뒤를 잇기
도 한다.
눈 앞에는 길 바닥에 배를 깔고 깊어가는 가을 햇살을 즐기
는 뱀 한마리가 놀라 허급 지급 길 가 잡풀 속으로 몸을 숨기
는, 곡선길이 나타나는가 하면, 진로가 갑자기 거의 반대 방향
으로 꺾이어 혼란을 주는 진행방향에 당황하기도 한다.

2부

아름다움이 세상을 구할 것이다

(Beauty will save the world)

- Fyodor Dostoevski-

1. 글은 무엇으로 쓰는가?

최근에서야 나는 시인 말라르메(Mallarme')와 화가 드가 (Degas)가 나눈 다음 대화의 의미를 이해할 수 있었다:

"내 머릿속은 기발한 아이디어로 가득 차 있는데, 안타깝게 도 그것을 소네트로 표현할 수가 없어요. 그래서 소네트를 쓸 수 없다는 게 고통스럽습니다.",라고 드가가 시인에게 말했 다.

그 시인은, "시는 아이디어로 이루어지는 것이 아니라 단어 와 문장으로 이루어진다." 라고 대답하였던 게 그것이다.

미국의 시인, 애니 딜라드(Annie Dillard)의 산문집, 글쓰는 삶(The Writing Life)에 나오는 어느 작가와 학생간의 '아래' 물음과 대답도 이제는 어렵게 느껴지지 않는다.

"나도 작가가 될 수 있나요?",

라고 학생이 간절한 마음으로 물었습니다

"그대는 문장을 좋아하나요?"

이 말이 그 시인의 답이었다.

이에 앞서 그 작가가 한 화가에게 말한 아래의 물음도 이제는 이해할 수 있다.

"당신은 어떻게 하여 그림을 그리게 되었습니까?"

"페인트 냄새가 좋았답니다."

철학자 앙리 베르그송(Bergson)은 머리로만 생각하고있는 작품은 아직 여전히 쓰여지지 않았다고 말했다.글이든 그림이든 구체적인 물질의 상태로 표현되어야 예술작품이 된다는 뜻이다. 즉, 손은 마음속에 있는 생각이나 이미지 등을 실제 '말'과 '문장'으로 구체화하는 역할을 담당한다는 것을,

그리고 글쓰기에는 손의 역할이 중요하다는 것을, 베르그송을 통해 깨닫게 되었다.

내 경우에는 글을 쓰면서 수많은 단어를 손으로 죽인다. 손은 무자비한 행위자이다. 나는 시작도, 끝도 없는 황량한 글쓰기의 사막을 맹목적으로 걸어가며,부적합하다고 판단되는 단어들은 가차 없이 잘라낸다. 나는 직감적으로 문장을 쓴다.

글쓰기의 긴 여정에서 손은 머리의 지시에 맹목적으로 따르지 않는다.

생각없이 무조건 마음의 소리를 따르지는 않는다. 내면의 어떤 힘, 머릿속에서 일어나는 직관력과의 조화속에서 손은 앞에 서서 글의 흐름을 이끈다. 글쓰기에 몰입하다 보면 손과 마음 사이에 미묘한 갈등이 일어나는 것을 자주 경험한다.마음은 인상파 화가 카이에보트(Cailiebotte)의 풍경화에 쏠려있는데, 손은 그 마음에 순순히 따르지 않는다. 백지위에 나타나는 단어와 문장은 머리가 아니라 손이 좋아하는 것들이다.머리에 가

득 담겨있는 아래의 물음들에 대해 손은 그저 무심하다.

인상화가들이 그 순간 내 마음을 사로잡는 이유는 무엇일까?

그들은 이전의 고전주의 화가들과 어떤 점에서 다른가?

그리고 모네와 르누아르의 차이점은 무엇입니까?

그런데 저 카이에보트의 철교풍경은 과연 인상주의적이랄 수 있는가 등등....

손은 머리가 몰두하고 있는 것에 관심을 보이지 않는다.

손은 지금은 '문장을 좋아하시나요?'라는 제목의 개인 산문을 쓰고 있는 지금 머릿속에 맴도는 위의 그런 질문들에 두 손은 관심을 기울이지 않는다. 글쓰기의 행위자인 두 손은 , 이상하게 들릴지 모르겠으나, 머리속의 것들과는 다른 단어들로 문장을 채우고있다. 손은 순가락에 감촉되는 단어로, 문장을 만들고있다. 모차르트, 선율, 에들가 엘른 포, 도스토에프스키, 시베리아숲 등이 손끝에 와 닿는 단어들로 이어지면서 , 컴퓨터의 화면은 머리가 아니라 손이 좋아하는 문장으로 채워지는 것이다. 눈에 보이지도 만져지지도 않는 비물질의 영감과 직관은 마음과 머리에서 잉태되고, 손을 통해 비로소 물질성의 문장으로 출산된다. 머릿속으로 혜성처럼 나타나 사라지는 영감의 빛을 그것이 사라진 한참 후에 손이 이들을 포획한다. 즉, 손은 이들을 모으는 회상의 그물 역할을 한다는 뜻이다. 손이 갓 빚어 놓은 물질성의 단어와 문장들은 그런 의미에서 머리에게는 과거의 존재인 것이다. 나의 경우는 그렇다.

전에 바다에 관해 글을 쓰고 있을 때였다. 불현듯 눈에 익은 바닷가의 들물소리와 갯벌냄새의 회상이 머릿 속에 떠오른 한참 후에 두 손이 그것들에 호기심이 생겼다. 그래서 손은 그 영감에 어울리는 단어들을 스스로 찾아 내 한 줄의 문장을 엮어내었가. 그랬더니 그 한 줄의 문장은 스스로 숨쉬기를 하기 시작하고 그 손의 길잡이가 되어 막막한 글의 길일 열어주던 적이 있었다. 그것은 글쓰기에 있어서 정말 생소한 경험이었다.

그 한 줄의 문장은 순탄한 평지위에서는 쉴틈없이 내단고, 험하지않는 언덕에서는 부드러운 땅위로 새길을 열어 나갓다. 이어 바위와 잡목 투성이의 야산에서 이르러서는 제 스스로 곡갱이가 되어 길을 열어 나갔다. 손은 처음에는 그 길잡이 뒤를 따르기가 여간 힘들지 않았다. 손이 그 한줄의 뒤를 열심히 따르다가도 얼마 못가 숨을 헐떡이고 땅에 주저 앉기도 하였다. 그럴 때마다 그 갈잡이 글 한 줄은 저만치 앞에서 손이 뒤따라 오기를 기다려주기도 하였다. 그렇게 하여 하나의 의미있는 문단으로까지 자라게 되었던 기억이 지금도 생생히 남아있다

손은 머리와 마음에 얽매이지 않는다. 항상 제 길을 간다. 손끝에서 태어난 그 한 줄의 문장이 막막한 흰 백지위에서나 콤퓨터의 모니터 위의 빈 공간에서 문단으로 자란다. 그 한 줄이 저절로 꿈틀거리다가 두 줄, 세 줄로 늘어나다가 어느 순간 저절로 한 문단으로 자라난다.

"페이지, 페이지,

그 영원한 공백, ……

순수함의 빈 페이지,

당신의 죽음 페이지"

. . . .

. . . .

. . . .

위의 시적 표현은 딜라드가 자신의 책 '글쓰는 삶'(The Writing Life)에서 했던 말인데, 그 말은 나에게는 여전히 암시적일 뿐이다.

2. 생각하는 손

이제는 노트북을 두드려서 글을 쓴다. 내 손가락이 키보드를 두드리며 글을 쓰고 있다. 종이에 글을 쓰는 것은 이미 과거의 일이다. 노트북으로 글쓰기에 익숙해지기까지 한동안 고민해야 했던 것이 하나 있었다.

머릿속에 떠오른 아이디어는 과연 무엇일까?

키보드를 두드리는 소리에 글의 주제가 흔들리고,

심지어 상상의 흐름조차 말라버리는 것은 아닐까?.

아니, 그것은 쓸데없는 걱정일 뿐이었다. 손가락이 키보드를 두드리는 것에 익숙해면서 컴퓨터의 모니터 위에 문장이 저절로 비례적으로 늘어났다.

내게는 촉감이 좋은 만년필이 글을 쓰고 싶은 마음을 불러일으키던 시절이 있었을 것이다. 종이에 글을 쓸 때, 파카 만년필을 든 내 손은 빈 원고징[보석 같은 던어가 나타나기를 기다리며 빈 페이지 위를 방황하곤 했다. 영감과 상상은 머릿속에서만 피어났고, 백지 앞에 손은 얼어붙은 채 단어가 종이위에 나타나기를 한없이 기다리기만 하였다. 아늑한 카페에 들어선 순간은 양복 안 주머니에 든 파커 만년필은 이름 그대로 내 기분을 우쭐하게해주었다, 게다가 그 아름다운 파커는 종이와 마주하면 어느 정도 쓸모가 있었다. 글을 쓰는 도구로서의 그 만연필이 원고지에 잘 어울렸던 것이다. 아닌게 아니라, 누에가 실을 낳듯이 흰 백지위에 위에 단어와 문장들이 나타났던

116

것이다. 지금도 손끝은 그 만년필의 감미로운 촉감을 그리워한
다.

한번은 해안 풍경을 주제로 글을 쓰고 있을 때였다. 나는 집
필 작업에 몰두하면서 이 글이 보들레르가 말한 '시 산문'에
꼭 들어맞기를 바라면서 머릿속에 생각의 그물망을 촘촘하게
엮었다. 주제와 관련하여 과거의 기억이 직관적으로 머릿속에
떠올라 잇달아 이어졌다.. 이제 내가 해야 할 일은 머릿속에
있는 생각들을 만년필로 종이에 적어나가는 일뿐이었다. 마음
속에 흐르는 해안풍경의 추억이 내 손을 통해 물리적인 단어로
변형되어 나타나는 것이 기뻤다.

내 손에 든 파커와 펼쳐진 빈 종이아 어울려 글을 만들어가
던 일을 좀 더 자세히 살펴보자. 우선 평소 자주 가던 창동 인
근의 한 호텔 커피숍에 자리를 잡는다. 매일 오전 10시쯤 아늑
한 구석 자리에 앉아 향긋한 커피 한 잔을 청한다. 다음으로
나는 재킷 안주머니에 넣어두었던 파커 만년필을 꺼내 커피잔
옆 테이블 위에 올려놓는다. 웨이트리스가 빈 종이 몇 장을 가
져다주기를 기다리는 동안 나는 담배를 피우며 전날 밤 머릿속
에 맴돌던 말들을 떠올린다. 앉은 채로 백지 위에 시선을 집중
하고 만년필 뚜껑을 연다. 백지 앞에서 다시 담배에 불을 붙인
다. 이윽고 빈 종이 위에 단어가 하나씩 나타나 하나의 문장으
로 성장한다. 그 뒤로 여러 줄의 문장이 이어지며 문장이 점점
늘어난다. 그러던 중 갑자기 내 손은 그 아름다운 만년필로 종
이위의 그 문장들을 마구 지워버린다. 그리고 그 문장이 적힌
종이는 쓰레기통에 버린다. 겨우 한 문장만 다른 종이에 남는

다. 커피숍에 앉아 이렇게 시간을 낭비하는 나날이 일주일 정도 지속된다. 그 사이 셀 수 없이 많은 백지 종이가 버려졌고, 다른 종이에는 단 한 줄의 문장만 남는다. 게다가 그 종이에 살아남은 한 줄의 문장조차 아래와 같은 평범한 문장에 지나지 않았다.

'루치아노 파바로티의 노래는 바다색과 잘 어울린다.

그 노래의 소리는 남해의 바다색을 띤다.

머나먼 수평선에 두 개의 검은 섬이 반짝이는 광활한 바다가 떠오른다.'

백지 위에 살아남은 몇 줄의 그 문장은 사실은 평범한 것이 아니었다. 그것들이 내 손에 있는 만년필 주위를 계속 꿈틀대고 있었기 때문에 나는 마침내 한 주제에 대한 긴 문단의 글을 만들 수 있었던 것이다. 그리하여 이 처음 몇 줄의 문장이 글의 흐름의 주제를 이끌어내었던 것이다. 그 몇줄 뒤로 글귀들이 계속해서 늘어나면서 결과적으로 예상보다 길고 의미 있는 단락의 문장이 이루어졌다. 파카 만년필의 촉에서 그렇게 문장이 자라났다. 오전의 조용한 카페에서 커피 잔 곁의 흰 메모지 위로 검은 단어들이 줄을 이어가 피어나는 광경에 그 만년필을 만지작 거리며 흐뭇해 하였던 것이다.

지금은 노트북으로 글을 쓰고 있다. 그냥 노트북을 열고 키보드를 두드려 단어를 입력하기만 하면 되는 것이다. 그 단어와 씨름하면서 마음이 가는 대로 단어를 키워 나간다. 단어는 오른쪽으로 성장하고 성장한다. 감촉 좋은 만년필로 쓸 때보다 단어의 줄이 훨씬 더 쉽고 빠르게 늘어난다. 단어는 때때로 왼쪽으로 자라거나 심지어 아래에서 위로 자라기도 한다.그러다가 뜻밖에도 점점 커지는 문장들이 화면에서 금세 사라지고 한 줄의 문장만 남게 된다. 두 손이 잔인하게 지웠기때문이다. 그러나 나머지 줄은 이전 줄보다 빠르게 늘어납니다. 문장이 거침없이 오른쪽과 아래쪽으로 자란다. 이것이 노트북의 화면을 마주한 책 몰입하는 글쓰기의 모습이다.

　오래전 10시간이 넘는 긴 태평양 횡단 비행 중 좁은 3등석 좌석에 심심함을 달래기 위해 노트북 크기와 비슷한 간이 '바둑' 판을 무릎위에 펼쳤다.그 간이 바둑판은 자석 성분으로 되어있어 그 위에 놓이는 일흑과 백의 작은 알들이 판위에어 흐트러지지 않았다. 원래 바둑은 두 사람이 마주 앉아 하는 게임이지만 이 간이 바둑판은 혼자서 그렇게 긴 여행 시간을 때울 수 있게 해 주었던 것이다. 검은 돌과 흰 돌을 그 작은 보드판 위에 올려놓으니 보드에 쌓이는 돌의 개수도 늘어나고, 게임의 모양도 커졌다. 그러다가 바둑 모양이 마음에 들지 않으면 주저 없이 헐고 새로 시작하면서 긴 비행시간의 지루함을 달래곤 했었다.

　내게 노트북으로 글을 쓰는 것은 어떤 면에서는 혼자 바둑 게임을 하는 것과 비슷하다. 하루에 두 번씩 노트북을 여는 나에게 글쓰기가 두렵거나나 어렵지 않다. 노트북에 글을 쓴다는 행위는 냉정한 머리로도, 열정적인 마음으로도 이루어지는 것이 아니다. 그 작업은 항상 앙리 포시옹이 다음과 같이 감탄하였던 손에서 시작된다.

"손은 거의 살아있는 존재와 같다....
자유로운 성격을 지닌 손......
신비한 예언의 손.....
손이 스스로 생각하고 창조하는 것 같다."

생각해보니, 열린 노트북 앞에 있을 때보다 흰 메모지에 글을 쓸 때, 내 손이 훨씬 더 신중했었다. 만년필을 손에 쥐고 먼저 한 참 동안 생각을 한 다음 종이에 그 생각을 적는다. 손은 머리와 마음에 복종했기 때문에 자유롭지 못했다.그래서 손가락이 굳어졌고, 만년필을 쥔 손은 드물게 떠 오른 직관의 불꽃을 포착해 종이에 옮기는 시간이 한참이나 늦다. 대조적으로, 노트북으로 글을 쓸 때, 손은 머리보다 먼저 스스로 행동한다. 그래서 글을 쓸 때 손이나 머리가 별로 힘들지 않아요. 손과 머리는 서로에게 관대하다.

종이위에 나열된 잘못된 단어와 문장들과는 달리, 노트북 스크린에 펼쳐진 단어와 글은 손과 머리에 부담을 주지 않았다. 화면에 나타난 글자가 마음에 들지 않으면 손이 쉽게 그 단어들을 아끼지않고 지울 수 있다. 손은 그저 화면에 늘어나는 단어의 수를 지켜볼 뿐이다. 이를 테면, 손은 글의 흐름에 맞지 않는 단어를 지우고 다른 적절한 단어로 빠르게 새로운 길을 찾는다.

그렇다고 해서 이것이 노트북에 글쓰기가 쉽다는 것을 의미하지는 않는다. 노트북은 언제든지 쉽게 열 수 있지만, 그 글쓰기 공간에 들어가기는 어렵다. 나의 경우, 노트북을 켰을 때

가장 먼저 손이 가는 곳은 글쓰기 공간이 아닌 이메일함이다. 나는 이메일 박스에 들어와 있는 이메일을 읽고 응답하는 데 시간을 보낸다. 그렇지 않은 경우에도 쉽게 나의 그 글쓰기 공간으로 들어가지 않는다. 뉴스 코너를 기웃거리며 박지성이 골을 넣는 장면을 보다가 글을 쓰려고 노트북을 열었다는 사실도 까맣게 잊어버리곤 한다. 집 현관문 밖에 서서 안으로 끌려가지 않으려고 애쓰는 나의 강아지를 연상케 한다. 강아지에게는 집 안보다 현관 밖의 세상이 훨씬 더 흥미롭고 매혹적이듯이, 손 역시 노트북으로 텍스트를 작성하기보다는 인터넷 사이버 공간의 바다에 뛰어들어 궁금한 것들을 기웃거리는 것을 더 좋아한다. 글쓰는 일은 그처럼 두려운 일이다.

3. 몰입과 영감

글쓰기를 시작한다는 말은 내게는 펜을 손에 쥐기 전에 먼저 긴 시간 머리로 주제에 몰입하였다는 것을 의미한다. 글쓰기는 다음 단계이다. 백지 위에 등장하는 문장들은 들판을 걷거나 침대에 누워 오랫동안 마음속에 생각하던 주제와 관련되어 있다. 화장실에서도 그 주제와 관련된 일들이 머릿속에 떠오른다. 그러므로 연필을 쥐는 것은 오랜 시간 집중한 후에 일어나는 행동이다. 그런 점에서 이 싯점에 노트북으로 글을 쓰는 것은 과거 원고지나 빈 메모지에 만연필로 글을 쓰는 것과 크게 다르지 않다. 즉, 노트북의 키보드를 두드려서 글을 쓰는 것도 한 주제에 긴 시간 집중하는 일의 다음 단계이다. 사실 노트북 화면에 늘어선 문장들의 행렬을 마주한다는 것은 내가 이미 하나의 주제에 집중하고 있었다는 것을 의미한다. 멀리서 가물거리며 심안으로 다가온 아래의 이야기들이 바로 그러한 과정의 산물이다.

... 늦은 밤, 어둠이 깔리자, 나는 어머니 몰래 아버지 주머니에서 꺼낸 담배와 밥솥에서 꺼낸 쌀이 가득 담긴 작은 봉지를 들고 몰래 집을 빠져나와 동네 건달들의 아지트로 들어간다. 동네 모퉁이이 한 외진 오두막이 그곳이다. 그 시간에 그들은 이미 화투판을 벌이고 있는 중이었다. 나는 그들이 '큰 형님'이라부르는 30대의 명구아재 곁 한 편에 쪼그리고 앉는다. 눈 앞의 사물을 거의 분간하지 못할 만큼 시력이 지독하게 약

한 그는 그들의 우두머리격이다.. 그의 얼굴은 온통 주름투성이다. 그곳 아지트로 빛이 들어오는 창가에 앉아 있는 맹구 아재는 화투장을 눈 가까이에 갖다 대고 노름에 열중하고있다. 그가 앉은 자리는 바닥이 따뜻하다. 그는 내가 가져온 쌀 봉지와 담배를 가만히 손으로 확인한다. 그리고 그는 화투 치는 중간 중간 내게로 고개를 돌리고 내 귀에 속삭인다. 나는 그가 나즈막한 목소리로 들려주는 이야기에 한쪽 귀를 바싹 세운다. 그리하여 며칠전 동네 타작마당에서 벌어진 두 라이벌 주먹들 간의 결투에서 누가 이겼는지 명구 아재에게서 자세히 듣는다.

또는 눈 덮인 비포장 도로를 달리는 미군용 트럭위로 한명의 동네 건달이 표범처럼 뛰어올라 c-레이션 박스와 담배상자 들 중 두 서넛을 달리는 차 밖으로 내 던지고는 비호처럼 뛰어내린다. 길가에는 두 명의 건달들이 미리 대기있다. 그리하여 그들은 길 바닥에 내 던져진 그 미군용 상자들을 제빨리 챙겨 어둠 속으로 사라진다. 맹구 아재는 ,지금 생각해보면, 놀랄 만한 이야기꾼이었고, 동네 돌아가는 사정에 대하여 손바닥 드려다보듯 알고있었다. 그곳 건달들로부터 자세하게 귀속말로 듣는게 그의 가장 큰 즐거움이었다.

어느 날에는 그 명구 삼촌은 동네 앞 용마산 묘지에 관해 전해내려오는 이야기를 들려준다. 묘지에 숨겨진 으시시한 설화는 대략 이러하였다:

산 아래 용마초등학교 기숙사에서 오래된 괘종시계가 둔탁한 울림으로 자정을 알린다. 그 소리에 12살쯤 된 학생이 기숙사를 몰래 빠져나온다. 그 학생은 호미와 성냥을 챙겨들고 기숙사 방을 빠져나와 혼자 묘지쪽으로 올라간다. 인적이 끊어져 적막한 산 묘지 가까이에 여우 한 마리가 어둠속에서 그 소년을 주시하며 몰래 따른다.. 소년은 뒤쪽에서 들리는 짐승 소리에 성냥불을 켜 겁을 한번 준다. 드디어 공동묘지에 이르런 그는 주변을 한번 살펴본 후 무덤 한 곳을 파기 시작한다. 그리고 그 곳에서 시체를 파낸다. 시체를 바라보는 그 소년의 눈이 어둠속에서 번쩍이기 시작한다. 그는 그 시체위로 얼굴을 파묻는다. 뒤쪽에서는 썩어가는 시체냄새를 맡은 그 여우가 이빨을 드러내고 달려들 기세나 감히 가까이 다가오지못하고 뒤에서 몸을 낮추어 달겨들 기세이나 감히 가까이 다가서지 못한다. 그 소년을을 그 시체에 파묻고 정신없이 뜯어 먹는다. 한 참후 소년은 비로소 일굴을 든다. 그는 두 눈이 벌겋게 충열된 채 새벽이 되기 전에 온 몸을 부들부들 떨면서 산을 내려와 기숙사로 돌아온다. 괴종시계가 두 시를 알린다. 기숙사의 어느 누구도 홀린 소년의 이런 기괴한 짓을 여전히 알지 못한다. 밤 12시가 지나면 두 눈을 번쩍이며 기숙사를 뻐져나가는 그 소년에게 무슨 일이 일어났는지,그리고 그 소년은 어떻게 되었는지 여전히 궁금하다, 그 소년이 결국엔 뫼구로 변하고 말았는지 알 길이 없다. 어쩌면 그 맹구아재는 그 건달들과 함께 '화투' 놀이에 열중한 나머지 내게 그 다음 이야기를 말해주는 걸 잊어버렸거하 했음에 틀림없다. 어쨌든, 아득한 옛날 그 소년의 나이때였던 내가 그 오두막의맹구아재에게서 들은 이야기들이다. 내가 그 때 그에게 건네 준 찐쌀 한 봉지와 담배는 그런 흥미진진한 이야기에 대한 보상이었다.

내가 한때 렘브란트의 그림을 보면서, "캔버스 위에 희미한 그림자가 점점 자라서 그 안의 모든 부분을 덮어버린다"고 느꼈을 때, 문득 먼 어느 날 그 어두운 아지트에서 햇빛이 들어오는 창가에 앉아 있던 명구 아저씨의 얼굴이 떠올랐다. 내 마음 속 그의 얼굴에는 반짝이는 저녁 빛과 은신처의 그림자가 담겨 있었다. 물론 나에게 떠오른 아득한 날의 그 희미한 회상은 내 손으로 몇번이나 지우고 다시 쓰는 과정을 거쳐 이렇게 문장으로 구체화되었긴 하지만.

어쨌던 이런 집필 작업의 실제 주체는 나의 손이었다. 내 머릿속에 유성처럼 스쳐지나가는 영감이나 직관이 종이나 컴퓨터 화면에 단어와 문장으로 구체화되기 전까지는 여전히 구체적인 단어와 글이 아니다. 글쓰기는 상상이나 꿈이 아닌 실제 던어와 문장으로 이루어지는 것이다.비유컨대,나는 조각가처럼 내 손으로 문장을 새긴다. 문장 하나가 곡괭이가 되어 저절로 글쓰기의 광맥을 파헤친다는 누군가의 말을 떠올린다. 몇 개의 단어로 이루어진 한 줄의 문장이 나의 손을 글쓰기의 동굴로 인도한다. 그 한 줄의 문장은 평지에 멈추지 않고 전진하고, 가파른 언덕길을 따라 나아간다. 그리고 바위산 덤불숲에 내 손이 갇혔을 때, 그 문장 한 줄이 충직한 안내자가 되어 막힌 길을 헤쳐나가도록 내 손을 인도해 준다.

글쓰기는 꿈이 아니다. 글을 쓰는 손은 조각가의 손이 돌을 만지며 다루는 일만큼이나 집중해야한다. 하지만 생각해 보면, 글쓰기는 나의 손을 인도하는 내부로부터의 거부할 수 없는 어떤 부름에 의해 이루어진다. 그것은 감정적 상상력의 분출을 통해 진행되는 것이 아니라, 대상에 대한 내면의 몰입을 통해 진행된다. 한마디로, 창의적인 직관을 바탕으로 한 글작업인 것이다. '성자는 결코 성전을 떠나지 않는다'는 인도 속담이 있다. 이것은 은둔자가 사회의 군중과 떨어져 산다는 것을 의미한다. 그런 점에서 아름다움을 탐구하는 사람은 은둔자와 같다. 예술은 본질적으로 개인의 내적 경험의 결과물이다. 그리고 그것은 세상적인 일과 아무 관련이 없다. 화가나 시인의 예를 들어보자. 각자의 방에서 그림을 그리거나 글을 쓰는데 열중하면 그들은 완전히 혼자가 된다. 우리는 기억한다, 그들의 이름은 그들이 혼자서 몰두하였던 집중의 결과물을 통해 비롯된 것이라는 것을.

나는 자신도 모르게 글쓰기에 관한 본질적인 사색에 잠기기 시작해따.

혹시, 글을 쓰는 것은 돌을 조각하는 것과 같지 않은가?

대리석을 깎고 다듬어 마음속의 이미지나 염원을 상징적으로 그 돌에 표현하는 조각가의 순수한 몰입과 같지 않을까?

조각가는 항상 고품질의 원석을 갖고 싶어한다.

그래서 조각가는 때로 그런 원석을 찾아 아무도 가지 않은 낯선 길에 나서기도 하고,

원하는 원석을 손으로 만졌을 때 떠오르는 이미지를 마음속에 품고 며칠 동안 씨름하느라 지치기도한다.

그렇다. 조각가처럼 글을 쓰려면 영감의 불꽃과 아이디어의 원석이 필요하다.

머릿속에 그런 아이디어 덩어리가 없으면 글을 쓸 수 없다.

그런 잠재적 보석은 낯선 길 가 어딘가에 묻혀 있을 수도 있다.

나는 글쓰기를 갈망하였기에 밤낮으로 가보지않은 먼곳을 동경하였다. 그러다 길을 잃고 헤매기도 하였다.

글쓰기는 거친 돌을 깎고 다듬고, 내 안에 떠도는 생각을 눈에 보이는 언어로 구체화하는 일이다.

리듬이나 리듬이 없어도 충분히 음악적인 시적 산문을 창작하는 것이다.

글 속 어딘가에 운율이 담겨야 할텐데 하면서.

상념은 내 안에서 그렇게 꼬리에 꼬리를 피어올랐다.

나는 종종 모네의 그림 '베니스 장면'이 나의 글쓰기에 영향을 미쳤으리라 생각한다.

나는 그림책 보기를 좋아해서 그림책을 자주 펴 보았다. 인상주의 그림을 자주 보던 어느 날,

'좋은 그림이란 무엇인가' 하는 생각이 들었던 적이 있었다.

그 당시에 나는 모네의 '지중해 풍경'에 관한 그림책에 몰입했었다.

내가 추구하는 '시적 산문'이 모네의 그 지중해의 풍경 처럼 이어지면 어떨가 하는 영감이 내 마음을 스쳤다. 그래서 그의 'Venice Scenes' 그림책을 자주 열어보곤 했다.

그림은 객관적인 사물을 있는 그대로 포착하지 않는다.

그림은 풍경 앞에서 일어나는 작가의 내면 세계를 표현하지도 않았다.

풍경이란 그 둘을 하나로 조화시킨 회화 작품인 것이다. 그

것은 화가의 시각적 직관 때문이었다.

이 주제에 대해 글을 쓰면서 나는 모네에 관한 피사로의 그림평을 좋아했었다:

"모네의 캔버스에 담긴 내용은 영묘하다. 절반은 현실이고 절반은 비현실적입니다."

4. 열망

글쓰기는 내게 여행과 떼려야 뗄 수 없는 일이다. 홀로 나선 그 길고 힘든 여정이 없었더라면, 이 산문집 창동인블루' 집필 은 시작되지 않았을 것이다. 여행에 나선 것은, 글쓰고 싶어서 였지, 여행 자체에 그 뜻을 두었던 것이 아니었다. 내가 머물 렀던 낯선 도시에서는 그 도시의 특별한 전통이나 문화적 가치 에 깊은 매력을 느꼈기 때문이 아니었다. 글쓰기와 관련이 없 는 한 여행지의 그 어느 것도 내 관심의 대상이 아니었다. 지 중해를 여행하던 모네가 그림 외에는 어떤 것에도 무관심했다 는 사실을 나는 마음에 깊이 새기고 있었다. 돌이켜보면, 런던 에 머물면서 길거리 판매대에서 내 눈에 띈 '카페 소사이어티' 라는 책을 산 것도 내게는 운명적인 일이었다. 20여년전 이 카 페 소사이어티을 번역 출간하면서 그 번역서의 끝부분에 내게 추가한 ' 후기'의 한 토막 글속에 그런 심정이 드러나 있었다:

".. 가끔 집 마당을 서성이다 창고에 들어가 곡괭이를 찾아 내어, 낙엽과 개똥과 함께 헌책과 신문 더미를 마당에 파묻곤 하였다. 걷잡을 수 없는 나의 무력함도 같이 묻었다. 창고의 천장에 뚫린 구멍 사이로 쏟아지는 빛의 광선은 신비롭고 아름 답다. 그러던 어느 날이었습니다. 곡괭이로 마당을 파 개똥과 낙엽을 땅에 묻고있을 때 멀리서 천둥소리가 들렸다. 그 순간 불현듯 젊은 날 내가 4년여 넘도록 은거했었던 결핵 요양소의 연못으로 이어지는 길이 눈 앞에 아른거렸다. 그 길 가에 줄

지어 선 벗나무 가로수의

꽃잎이 바람에 휘날리며 함박눈처럼 떨어지고 있었다."

그 번역 책에 담은 글 한 줄은 비유적으로 미지의 글쓰기의 땅을 파헤치는 호미질의 도구였던 셈이다. 고갱은 40세가 넘었을 때 가족을 버리고 화가의 길에 들어섰다고 했다. 나는 고갱보다 더 늦은 40대 후반에, 나의 노모를 한탄케 하였던 무모한 글쓰기의 길에 들어섰었다. 나의 어머니의 눈에는 아무 쓸데없는 일로 아들이 인생을 망치고 있다고 예감했음에 틀림없다. 당시에 나는 시도 때도 없이 가출하듯 여행길에 나섰고 돌아오면 글쓰기에 홀리듯 하여 어머니를 탄식케 했다.

이상하게 들릴지 모르지만, 나의 글쓰기는 뜻밖에도 나를 어머니에게 효자가 되게 하였다. 결과적으로 어머니를 너무나 실망시켰던 나의 쓸데없는 글쓰기 습관은 놀랍게도 어머니가 90세가 넘은 나이까지 반짝이는 눈으로 우리 집에서 장수할 수 있게 한 요인 중 하나였던 것이다. 노모는 내가 잘못된 삶의 길을 가고 있다고 믿었다. 그래서 그녀는 아들의 가족을 직접 돌보기로 결심했었던 것이다. 노모가 그토록 오랫동안 건전한 지능과 건강을 유지하고 장수한 데에는 나의 글쓰기가 가장 큰 이유였다고 믿는다. 안달루시아를 여행하던 중 나는 어머니의 꿈을 꾸고 다음과 같이 메모한 적이 있었다.

'그라나다 호스텔에서

깊은 밤,

꿈에 나타난 노모는

어둠보다 더 깊은 눈빛으로

이층 침대의 아랫간에
웅크리고 자는 나를
어둠보다 더 깊은 눈빛으로
나를 보고있었다. '

바다가 보이는 곳으로! 나의 첫번째 여행지는 바다가 멀리
보이는 해안이었다. 마음의 눈앞에 아른거리는 그 해안은 이러
하였다:
소년시절 나에게는 강아지와 같은 작은 바다가 있었다.
햇빛 반짝임과 고요함이 가득한 아침 바다이거나, 밀물과 썰
물이 교차하는 오후의 넓은 갯벌이 그것이었다. 그 바다는 집
마당과 축담을 사이에 두고 서로 붙어있었다.
소년은, 나는, 베개 옆에서 부드러운 파도 소리에 잠에서 깨
어나
반쯤 감긴 눈으로 새벽바다의 출렁임을 보았다.
바다는 아침마다 늘 새로운 모습으로 다가왔고, 바다소리를
들을 때마다 가슴이 설렜다.
계절이 바뀌면 바다의 색깔도, 갯냄새도 달라졌다.
한 때 나를 매혹시켰던 책 '카페 소사이어티'에는
한 청년이 아무런 이유없이 갑자기 고향을 떠나 파리행 야간
열차를 타는 대목이 나온다. 그 청년은 커피향이 피어오르는
카페 '돔'에 가고 싶은 충동을 주체할 수 없었던 것이다. 청년
은 그곳에 앉아있는 것 만으로도 행복했다.
그는 커피향이 피어오르는 그 곳에 홀로 앉아 담배에 불을

붙인다. 담배연기를 한 모금 깊숙히 들이 마시는 그의 얼굴엔 행복감이 번져나온다,

청년의 나이 땐 누구라도 그럴 수도 있는가?

그건 아마도 바다가 그 마음에 들어와 있어 그럴 것이다.

소년시절 수영복이 왜 필요한지도 모른 채 맨몸으로 물속에서 놀았던 그 작은 바다가 지금은 사라지고 없다. 소년의 곁에 늘 있었던 그 바다는 이제 마음속에 들어와 잔물결을 이루고있다. 그 바다는 더 넓은 바다 어딘가에서 낯선 모험을 즐기며 큰 파도를 익히고 가 있으리라! 이따금 나는 그 작은 바다의 잔물결을 환상으로 본다. 카페 돔에 앉은 어느 이름모르는 청년처럼 , 그 바다 앞에 서있고 싶은, 그리하여 그 갯냄새를 맡고 싶은 내면의 충동을 억누를 수 없었다.

낯선 여행지의 호스텔에서 묵어본 경험이 있는 사람이라면 배낭여행이 어떤 느낌인지 잘 느낄 수 있을 것이다. 호스텔에는 호텔의 편안한 분위기와는 거리가 먼 다소 분주한 환경 속에서 다양한 사람들과 함께 지내는 데서 오는 친숙한 웅성거림이 있다.

여행지에서 반나는 그 아늑한 휴식처는 내 기억속에는 언제나 살아있다.

호스텔 근처 길가에서

파란 눈이 아름다운 한 처녀 여행자가

내게로 다가 온다.

그녀는

배낭을 벗으며
내게 담배불을 빌려달라고한다.
그녀의 이마 위로
멀리 보이는 맑고 푸른 하늘이
눈부시다.

한번은 시애틀에서 처음 호스텔에 들어갔을 때, 호스텔의 낯설고 낯선 분위기에 얼마나 당황했는지 아직도 기억에 생생하다. 일주일치 숙소비를 미리 냈기 때문에 도로 나갈 수도 없어 순간적으로 아차 싶었다. 낯선 분위기가 너무 이상하여 딜레마에 빠진 것 같은 느낌이 들었다. 미자못해 룸 안으로 쭈뼛거리며 들어서니 안에는 10명에 가까운 다양한 색갈의 얼굴들이 이층 침대 아래 위에서 눕거나나 앉은 채로 겁먹은 나를 향해 바라보고 있었다. 마치 젊은 도적들의 소굴같은 곳으로 들어 선 느낌이었다. 이층침대의 룸메이트들이 웃으며 해맑게 웃으며 "안녕하세요!" 라고 나를 반겼다. 잠시 전까지 어런 곳에서 힐주일을 보내야 하다니 하며,안주머니에 든 지갑을 한 손으로 꼭 지었던 일이 부끄러워졌다. 요즘은 크레디드 카드가 있어서 지갑에 많은 돈을 가지고 다닐 필요가 없지만, 당시에는 장거리 여행을 할 때 여행비가 담긴 지갑이 곧 생명줄이었다.

한번은 뉴욕 맨해튼의 값싼 루즈벨트 호텔에 있었을 때였다. 너무 오래되고 낡아서 허름한 호스텔이나 다름없었다. 호텔 첫날, 2층 내 방에는 화장실이 었으므로 밤늦게 바깥 복도에 있는 화장실에 들어가 앉아 있었다. 침침한 복도에서 누군가가 내쪽으로 뚜벅뚜벅 걸어오는 소리가 들렸다. 그 발자국 소리는 잠시 후 화장실 문 곁에서 멈추더니 안으로 들어서는 것이었다. 그리고 갑자기 소리가 멈추는 것이었다. 순간적으로 나는 바싹 긴장하였다.분명 누군가는 화장실에 들어왔는데? 불안한 마음에 변기에 앉아 일부러 기침을 했다. 나는 두려움을 느끼며 시선을 좌우로 그리고 위로 돌렸다. 놀랍게도 내 머리 위에서 나를 향해 나려다보는 흑인 남자와 눈이 마주쳤다. 그는 겁에 질려있는 나에게 미소를 지으며 "안녕 친구!"라고 말했다. 그 흑인 남자는 호텔 청소부였다. 그날 밤 호텔 화장실에서 만나 친하게 된 그 키 크고 착한 흑인 남자 덕분에 나는 맨해튼 타임스퀘어 뒷골목의 거친 흑인젊은이들과 자유롭게 어울려 돌아다닐 수 있었다.

글쓰기 주제와 관련하여 불현듯 낯선 도시의 이름에 강한 이끌림을 느꼈을 때, 나는 먼저 인터넷으로

그 도시에 있는 호스텔에 예약 한 뒤 무작정 날아갔다. 나는 그렇게 긴 여행을 떠났다.

그리고 여행지의 도시에서 다른 도시로 이동하는 데는 버스나 기차를 이용했다. 특히 움직이는 그레이 하운드의 차체 흔들림은 나를 회상에 빠져들게 하였다. 어느 새벽의 그 차체 흔들림은 나 자신도 모르게 혼잣말로 다음과 중얼거린 가슴 뛰는 순간도 맛보게하였다:

밤하늘에 셀 수 없이 많은 별들과

나란히 달리는 그레이 하운드.

보석같이 빛나는 별들의 은밀한 속삭임.

와, 정말 아름답다.!

어쩌면, 별이 빛나는 밤하늘이 고흐에게 '별이 빛나는 밤' 풍경을 그리로록 유도하였구나. 그 화가는 그 순간의 영감에 이끌려 붓을 들었을 것이다.

아래는, 머리속에 순간적으로 떠 오른 함 순간의 매혹적인 회상이었다. 포틀란드에서 있었던 일이었다.

오, 다니엘라!

7월이 오면,

월라멧 강 건너

블랙베리 향이 가득한 언덕길을 따라

카페 볼레로로 갈 것입니다.

매주 토요일 밤이면

그 카페에는 플라멩코 댄서들이 춤을 춘다고 하더군요.

당신의 그 빛나는 상아빛 미소를 떠올리며, jh

포틀랜드 도심에 위치한 인터내셔널 호스텔 옆에는 카페월드 컵이 있었다. 이 카페에는 그 호스텔에 묵는 다양한 피부색의 젊은이들로 붐볐다. 한 젊은 백인 남성이 창가에 앉아 노트북을 열고 인터넷을 검색하고 있었으며, 테이블 가운데에는 투숙객 몇 명이 둘러앉아 이야기를 나누고 있었다. 그리고 카운터석에는 한 동양인 중년 남성이 커피 한잔을 앞에 두고 신문을 넘기고 있었으며, 구석 자리에는 젊은 흑인 남성이 악보를 보며 들고 온 기타를 조율하고 있었다. 나는 호주머니에서 장 콕토의 스케치가 인쇄된 엽서를 꺼내어 카페 내부의 풍경을 얼른 몇 마디로 표현했다.

그림 엽서는 멀리있는 친구에게 마음 가는 데로 몇 줄 쓰게 만드는 묘한 힘을 갖고 있다. 그긴 무슨 내용이 쓰여도 상관없다. 그림 엽서는 그기에 쓰여진 글줄과도 잘 어울린다. 그림엽서는 빈 원고지가 주는 백색공포감을 주지 않는다. 여행 중에 집어든 그림엽서는 아무렇게나 휘갈겨 쓴 글 자체를 좋아하는 것 같다.

나는 두 번째 포틀란드의 인터내셔널 호스텔에 묵었던 적이 있었다. 늦은 가을 밤, 바깥 바람소리와 비소리가 너무 강해서 밤에 잠을 잘 수 없었다. 그날 밤, 그 호스텔의 방은 침실들이 거의 비어 있었고 추웠다. 담요를 하나 더 얻어 덮었다. 추위로 굳어 있던 몸과 마음이 조금씩 풀리기 시작했다. 어둠 속의 빗소리에 나는 감은 눈 위로 갑자기 애니 딜라드의 말이 떠올랐다.

"여름에는 겨울에 대해 쓰라.

파리의 책상에서는, 제임스 조이스가 했던 것처럼, 더블린에 관해 기술하라.

윌라 카터는 뉴욕에 앉아 대초원에 관해 묘사했다."

그리고 어두운 침대에 홀로 누어 Jean Grenier의 다음 문구를 떠올렸다:

"내게는 나와 관련 있는 장면은 기억나지 않는다. 나폴리는 불행과 아름다움을 알게 해 준 곳이다."

나는 장 그러니에(Jean Grenier)의 회고적인 사색의 글을 사랑하였다. 그의 산문집 '지중해의 영감'을 특히 사랑했다. 사실 내가 스쳐 지나온 여행지에서 기억에 남는 것은, 장 그레니에의 말처럼, 그 도시들이 아니라 그 안에 있는 나 자신이었던 것이다.

예컨대, 뉴욕이라고 하면, 떠오르는 것은 호기심으로 헤매던 그 타임스퀘어와 그곳에 위치한 루즈벨트 호텔 2층 복도이다.

런던에 대해 기억하는 것은, 내가 카페 소사이어티를 샀던 지하철 입구의 노점이다.

그리고 베를린이라고 하면, 프랑크푸르트행 기차에서 만났던 무례한 젊은이들이었다. (베를린에서 프랑크푸르트로 가는 기차 속에서 여러 젊은이들은 8시간 가까이 앉을 자리가 없어 서 바깥 풍경을 바라보느는 나에게 아무런 관심을 보여주지않았다!)

나는 항상 혼자 여행한다. 여행길에는 마음의 정화가 있다. 여행길에는 마음의 분노를 녹이는 이상한 힘이 있다. 먼 길을 떠나는 것보다 마음속의 아픔과 분노를 녹이는 더 좋은 방법은 없다. 부드러운 엔진 소리를 들으며 수평선 너머로 새벽이 떠오르는 것을 바라보면 그 덩어리들이 녹아 사라져 버린다. 영감의 빛 줄기가 머리 위로 내린다. 영감이 주는 한 줄은 마음속에 갑자기 나타났다가 한 순간에 사라지는 긴 꼬리를 가진 혜성이다. 하지만 곰곰이 생각해보면, 그 영감은 어느 중국 조각가의 말처럼 '끝없는 탐구의 축적'에서 비롯된 것이었고, 다른 많은 것들에 무관심한 결과이기도 했다. 스페인을 여행하는 동안 나는 글을 쓰고 싶은 욕망 외에는 어떤 것에도 무관심했었다.

5. 시적 산문에 대하여

나는 나 자신에 관한 글을 공들여 써서 책으로 낼 때마다 이 책이 내 마지막이 될 것이겠거니 생각했다. 그런데 이상하게도 책이 출간된 후 시간이 지날수록 텅 나의 빈 마음은 쓸 일들로 더시 채워지는 것이었다. 백지 위에 예상치 못한 한 줄의 문장이 나차나면서 또 새롭게 글쓰기가 시작되었던 것이다.. 내 두 손은 마술사였다. 손을 따라 빈 종이 위에 글이 자라나서 한 문단이 되고, 또 여러 문단이 되고, 마침내 하나의 주제로 짜여진 산문의 글이 되었다. 그들은 그렇게 성장하여 시적인 산문이 되었습니다. 그 흐름은 이야기아니라 그저 긴 독백의 중얼거림이었다. 소설체의 긴 글도 아니고 ,그렇다고 운율이 담긴 시도 아닌, 긴 개인 독백의 흐름이 되었다.

나는 빈 마음으로 풍경을 보는 것을 좋아하지만, 단어를 모아서 문장을 만드는 것을 더 좋아하였다.

누군가의 반짝이는 한 마디를 읽을 때마다 내 마음은 벅차 올랐다.

버스정류장에서 한가히 담배를 피우고 있는 그레이하운드 운전사와 나눈 대화 한 토막이 문득 떠올랐다:

"라이터를 빌릴 수 있나요?"

"예? 아, 여기요."

"어디 가세요?"

"샌디에고까지요"

"무슨 사업을 하시나보죠?"

"아니요, 그냥 달리고 싶어서요. 나는 그레이하운드의 엔진 소리를 좋아합니다. 아시다시피 버스가 가볍게 흔들릴 때 엔진의 윙윙거림 소리를 좋아합니다."

"여기 시애틀에서 샌디에고까지요?"

"그 먼 곳까지는 23시간 이상 걸리는데요?"

손은 스스로 생각하고, 글은 손의 도움으로 저절로 성장한다. 글쓰기는 뇌가 하는 일이 아니다. 마음도 쓰지 않는다. 머리와 마음은 글을 쓰기 위한 영감이나 직관만 생각할 뿐, 글을 생산할 수는 없다. 글은 손으로 만들어진다. 손에서 저절로 자란다

애니 딜라드(Dillard)의 다음과 같은 조언에 따라 머리와 심장이 손을 자극한다.

"다 털어내고 다 쏟아부어라." 나는 그 시인의 조언을 충실히 따른다. "지금 쓸거리를 아껴두지 무세요. 다음번을 위한 재료로 비축하고 싶은 충동을 느낀다면, 이는 지금 재료를 다 써버리라는 신호이다. 나중에 뭔가 다르고, 더 새로운 것이 너의 마음을 채울 것이다. . '금고를 열고' 모두 비우세요."

예술 작품에서 시적 직관이 작용한다고 말한 마리탱(Maritain)에 따르면, 직관이란 대상과 그것을 바라보는 예술

가 사이의 깊은 연결을 가리킨다. 그리고 그 직관은 이성이나 감정이 아니라 두 요소 사이의 창조적 상호작용이르는 것이다.

대상에 집중하는 동안 순간적으로 나타나는 영감의 불꽃?

도대체 이것은 어떻게 나타나는 것인다.

한 가지 주제 외에는 전혀 무관심해진 상태에서?

내가 처음으로 출간한 산문집 '구강의 바다'는 50세가 가까웠을 때, 치밀한 계획보다는 , 무작정 쓰고 싶은 마음을 억누를 수 없어 만들어낸 작품이다. 그걸 시작으로 나는은 2~3년에 한 번씩 계속해서 책으로 출간했다. '마술피리', '여정과 깊은 노래', '플라멩코 이야기' 등을 단행본으로 출간했다. 마음속의 것을 털어내놓은 이 글을 시적인 산문이라고 생각한다. 소설도 시도 아닌, 일종의 고백적 산문, 때로는 그 자체로 시적으로 울려 퍼지는 길고 자유로운 독백이기 때문이다.

창동은 지난 몇년간 풍광 좋은 정자였습니다.

마음이 서로 맞는 세 사람이 모여 술을 마시는 개울가였습니다.

소나무 그늘도, 강변 언덕도 아니더라도, 향긋한 휴식의 놀이터였다.

'진광불휘'(진정한 빛은 빛나지 않는다)라는 별칭을 가진 정자봉교수가

그 중 한 분이었습니다.

교당이라는 호를 가진 전통화가인 김대환 화백이 또 다른 한 분이었습니다.

한 분의 경우, 부드러운 목소리로 구사하는 잘 짜여진 단어와 문장은 마치 에세이의 흐름 같았고,

다른 한분은 창동 골목에 숨겨진 이야기를 속삭이며 나를 매료시켰습니다.

나는 다른 사람들이 말하는 것에 세심한 주의를 기울이는 특별한 귀를 가지고 있습니다.

서머셋의 '요약'에 담긴 글귀를 인용하는 한 분의 목소리와,

창동 뒷골목의 기생집에 대한 일화에 두 귀가 솔깃해 하였습니다.

이제 교당이라는 호가 귀에 익숙한 후자는 나에게 더욱 소중한 존재가 되었습니다.

'진광불휘'란 별칭을 가진 고귀한 분이 작년에 홀련히 세상을 떠나셨기 때문입니다.

앞서 말하였던 '시적 산문'은 말 그대로 운율감이 살아있는 듯한 자유로운 흐름의산문이다. 문체의 경우, 나는 보들레르의 '파리의 우울'과 서정주 시인의 시 '신부'를 마음에 들어한다. 더우기 나의 글이 그렇게 불리는 것을 좋아한다. 글의 흐름에 리드미컬한 울림이 있으면 좋겠다고 생각다. 한때 나는 이슬람의 코란이 암송되는 것에 그 의미도 모른 채 매료된 적이 있었다. 그 소리는 마치 모차르트의 '피가로의 결혼'의 한 아리아를 들으며 무슨 뜻인지도 모른 채 그 영적인 울림에 압도당하는 것과 같았다. 그 의미는 내게는 중요하지 않았다. 단지 그 울림의 소리를 좋아할 뿐이다.

나는 문학 글쓰기 이전에 국제정치학 관련 논문쓰기에 몰입했었고, 영문의 문학서'카페소사이어티'를 우리말로 번역하는 데 긴 시간 열중했었다. 서양 예술가들의 보헤미안적인 내면을 잘 다룬 문학서적 『카페 소사이어티』 번역이 아마도 나의 현재 문학적 글쓰기 스타일에 알게 모르게 영향을 미쳤을 것입니다.

전자가 내 글에서 사고의 논리를 유지하는 데 도움이 되었다고 한다면, 『카페 소사이어티』의 번역은 이후에 시작한 나의 문학적 글쓰기에 시적 리듬을 통합시킬 수 있게 해 준 것 같다. 바람 부는 날, 런던의 한 노점에서 우연히 눈에 들어온 『카페 소사이어티』는 내 마음 속에 시적인 리듬으로 무언가를 쓰고 싶은 숨겨진 욕망이 있다는 것을 깨닫게 해주었을 것이다. 만약 그 책을 만나지 않았다면 나의 삶과 글쓰기는 지금과 달랐을 것이다. 그 책 속의 다음 구절이 끊임없이 내 마음을 흔들었습니다. "스님이 가정생활과 아무 관계가 없듯이 예술가도 사회생활에 무관심합니다. 이것은 분명합니다." 지금은 그 구절에 어느 페이지에 들어있는지 찾을 수 없다.

내 자유로운 글쓰기에 리듬이 있기를 바란다. 에세이든 일종의 자유시든 내 글에는 시적인 음악성이 살아 있기를 바란다. 그러나 시는 말의 물질성을 넘어서 존재한다. 우리의 마음을 사로잡는 것은 언어적인 물질성이 아니라, 시 속에 흐르는 감동적인 영혼이다. 마치 반 고흐의 '별이 빛나는 밤' 앞에서 우리는 거친 붓터치의 물질성을 넘어 그림 속에서 소용돌이치는 작가의 영혼에 사로잡힌다.

6. 보내지 못한 이메일

아래에 담긴10통의 이 이메일은 그저 쓰고 싶어 쓴 것일 뿐 누군가에게 보내려고 쓴 것이 아니다. 내가 내게로 보내고 싶이 쓴 일종의 싯적 산문일 뿐이다.

1) 어느 조각가의 작품

헬로, Y!

그간 잘 지내셨는지요?

며칠 전 창동 아르떼마당 전시장에서 철사, 형광물질, 전기 등의 매체를 이용해 만든 여러 '손' 조각품에 주목했습니다. 무명의 조각가의 작품이라고 하는데 이번 전시의 주제가 왜 손인지 궁금했습니다.

나는 한때 앙리포시용(Henri Focillon)의 아래의 구절에 놀라운 감동을 받은 적이 있었습니다.

"손의 본질은 행동에 있습니다.

파악하고, 창조하고, 때로는 고민하는 것 같아요."

나의 경우, 글을 쓸 때 손이 머리의 지시를 따르지 않았습니다.

또 연락드리겠습니다.

Gg

2) 꿈과 의식의 경계에서

Y님!

굿 모닝!

나는 술에 취하면 이곳 저곳 돌아다니며 몽상에 빠져드는 버릇이 있습니다.

어두운 창동 골목을 걷다 보면 마음이 맑아집니다.

구불구불한 황금빛 밤바다가 마음의 눈 앞에 다가옵니다.

통영 앞바다의 야경입니다.

그 곳엔 육지보다 두 배나 크고 밝은 달이 떠 있습니다.

섬 해안의 언덕에 올라 취한 눈으로 달을 바라보다가 나도 모르게 몸이 바다 쪽으로 기울어지는 것에 놀랍니다. 바로 그 순간, 일상의 질서와 의식의 장막이 걷히고, 멀리서 어떤 영상이 내 눈에 다가와 반짝거리기 시작합니다. 드가의 그림 '압생트'가 등장합니다. 허름한 카페의 테이블 앞에 술취한 남녀가 멍하니 앉아 있습니다. 그들은 인생에서 아무것도 기대하지 않는 것처럼 무표정한 얼굴을 하고 있습니다. 드가는 독한 녹색 압생트 술이 치명적인 매력을 지닌다는 사실을 알고 있던 화가였습니다.

그런데 스페인, 헤레스 산 '비노 블랑코'를 마셔본 적이 있으시겠지요?

그 무색의 포도주는 그냥 얼큰한 포도주 맛입니다.

그렇지만 어느 독한 술보다 훨씬 더 정신을 취하게 만드는 무색의 포도주입니다.

그 술은 마약과 같습니다. 영혼을 깨우는 약입니다. 스페인의 플라멩코 댄서가 나에게 이렇게 말했다:

투우사와 플라멩고 무용수들에게 이 비노 블랑코는 '영혼의 음식'이라고요.

비노 블랑코(Vino Blanco) 한 잔을 마시는 것은 운명적인 투우를 기리는 일종의 의식이라고 합니다.

경기장에 입장하는 투우사는 원래 플라멩코 댄서였습니다.

투우사가 아닌 플라멩코 댄서는 진정한 댄서가 아니라고 했습니다

비노 블랑코(Vino Blanco)에 취하면,

투우사 이그나시오 산체스의 마지막 무너지는 투우장면이 눈앞에 나타납니다.

시인 가르시아 로르카(García Lorca)에 따르면,

그는 올리브 숲의 슬픈 바람이었습니다.

시인 가르시아 로르카는 그 투우사에 관해 다음과 같이 회상했습니다:

"누구도 당신을 모른다.

지금은, 그 누구도.

그러나 나는 당신에 대해 노래하리라.

다음 세대를 위해 나는 당신의 인품과 우아함을 노래하리라........

이제 그처럼 참되고

그처럼 용기로 가득한 안달루시아인이

이 땅에 다시 태어나려면

얼마나 많은 세월이 흘러야할까."

아, 그런데, Y님은 그 8분짜리 무언극 무대를 을 어떻게 채워주실지 궁금하네요.

나는 지금 무대에 오를 당신을 상상해 봅니다.

객석의 빛이 꺼지면,

어둠 속 무대에는 바흐의 샤콘느 선율을 따라 서서히 막이 오를 것입니다.

그 때 빛은 오로지 무대위에 선 당신의 침묵의 몸짓만을 비춰줄 것입니다

Gg

3) 8분간의 마임 무대.

안녕하세요 Y님!

내가 상상하는 8분 부대는 대략 이러합나디:

가끔씩 관객석에서 기침 소리 들리고,

조명이 켜진 무대엔 바흐의 샤콘너 선율이 흐른다.

배경 화면에 바이올리니스트 펄만의 연주가 천천히 나타났다가 사라진다.

그리고 배경 윗쪽에 '마산 315의거 김용실 열사 추모'의 글과 그의 커다란 사진이 걸려있다.

무대 위에는 판토마임의 소품으로 이젤과 의자, 물감이 놓여 있다.

이 소품은 등장하는 배우가 화가임을 관객에게 말해준다.

관객을 향해 대각선으로 앉은 배우는 열사의 초상화를 통해 한 젊은이의 죽음을 머리속에 그린다.

그리고 배우는 젊은이의 순수한 열정을 캔버스에 담는 표정과 몸짓을 한다.

조명은 붓을 든 배우의 손과 표정에 집중된다.

멈춤,

짧고 빠른 동작,

느린 걷기 등

배우의 모든 극적 움직임,

그리고 머뭇거림으로 이어진다.

그 순간 배우의 마음에 마르셀 마르소의 마임 작품 <청춘, 성숙, 노년과 죽음>이 스쳐 지나간다.

이것이 나의 머릿속에 그려지는 Y님의 8분간의 마임 무대입니다.

당신의 의견은 어떻한지요/

회신을 기다리며,

Gg (2010)

4) 모네의 그림 '해돋이'

Y님!

좋은 아침입니다.

비가 주룩 주룩 내리는 아침,

문득 모네의 '해돋이'가 마음에 떠올랐습니다.

이 그림을 한 번 펴보시기를!

화가는 스스로 이 '해돋이' 가 아침의 아름다운 묘사가 아니라,

그 순간의 대기 현상이 실제로 눈에 나타나는 방식이라고 말했습니다.

섬세한 빛의 파노라마.

파도의 끊임없는 움직임.

아침 바다의 붉은 태양.

회색 안개로 뒤덮인 하늘과 대기 등.

오! 눈 앞에 펼쳐진 색채의 향연!

비오는 잿빛 아침을

책을 읽으며 보낸다.

시적 영감과 미학적 성찰을 일깨워주는 책을 만나지 못했다면 내 삶은 어땠을까!

그것은 상상할 수 없는 일이다.

독서와 글쓰기의 새벽.

그 시간은 순간 순간마다 내게 살아 있음을 느끼게 해주었다.

Gg

(2010)

5) 참의 반짝임

Y님!

무더위가 이어지고있습니다. 내 관심을 끌고있는 아래의 구절을 보냅니다.

"때때로 아름다움은 반짝이는 진실의 일부입니다. 새로운 풍경으로 나아가는 신호입니다."

진실이라는 말이 무슨 뜻인지는 잘 모르겠지만,

'참의 반짝임'이라는 글이 눈길을 끄는군요.

얼핏 보면, 이 말은 철학적 표현이라기보다는 문학적 표현으로 여겨집니다.

나는 지금 철학자 미셸 세르(Michel Serre)의 책을 읽고 있습니다.

저자는 인간의 지식과 인간의 불행을 초월하라고 말하고있습니다.

참된 지혜에 이르는 긴 여정인 헤르메스의 길을 따르는 것이 철학적 소명이라고도 말합니다.

이 책은 나에게 낯설지만 은근히 눈길을 사로잡습니다. 그의 이 책은 늘 모호하여 접근하기 쉽지 않은 책이었습니다. 개인적으로 이러한 모호함은 아마도 번역이 좋지 않기 때문일 것이라고도 생각합니다.

그럼에도 불구하고, 이 책에 나오는 아래 구절은 미셸 세르를 나에게 잊을 수 없는 철학자로 남아 있게 만들었습니다:

"잠시 내 말을 들어보세요.

자, 70대 노인들이 30세 미만의 아버지의 죽음을 애도하기 위해 함께 모이는 장면을 상상할 수 있습니까?

그들의 젊은 아버지는 한때 네팔의 세르파였지만 어느 날 산사태로 인해 크레바스 속으로 사라졌습니다. 계곡의 빙하 속에 아버지는 그렇게 젊은 나이에 죽은 채 완벽한 상태로 묻혀 있었습니다. 이렇게 해서 50년이 지났습니다.그리고 빙하의 움직임이 있었습니다. 그러던 어느 날, 그의 완벽한 시체가 산 밑에서 발견되었습니다.이제 70대 아들들이 젊은 아버지의 시신을 장사하고 있다. 이런 높은 산악지역은 세속적인 시간의 흐름에서 벗어나, 이런 일이 일어나기도 하지요. 물론 보통 사람들이 사는 이 세상에는 이런 일이 드문 일이지만요."

미셸 세르의 일화를 내가 결코 잊지 못하는 충분한 이유가 있습니다.

현재 마산 인근 천주산 능선에,

햇살 가득한 진달래 계곡에,

물리적인 시간의 흐름을 벗어난 20세 젊은 여인이 묻혀 있기 때문입니다.

매년 겨울이 오면,

70대의 이 손자가 이 능선에 오릅니다.

20살의 할머니를 만나기 위해서 입니다.

그리고 할머니의 무덤 앞에서

이 손자는 절하며 이렇게 말합니다.

"할머니, 저 왔어요."

Gg

(2013)

6) J.S.바흐-샤콘느

Y님!

바흐의 첼로 작품을 한번 들어보시겠습니까?

첼로 선율엔 깊은 울림이 있습니다. 특히 '사라반드' 리듬은 우아함이 절묘합니다.

언젠가 이삭 펄만(Isac perlman)이 독주하는 바흐의 샤콘느를 듣고부터

나는 하반신이 마비된 이 연주자의 바이올린 샤콘느를 더 좋아하게 되었습니다.

무엇보다 샤콘느 후반부의 도입부가 마음에 듭니다.

불행과 아름다움!

이 비인간적인 잔인함!

요즘은 기타리스트 존 필리(John Feeley)가 연주한 바흐(Bach)를 자주 듣습니다.

이 기타리스트가 연주하는 바흐의 솔로 샤콘느는 그 곡에 스며있는 쓸쓸함이 시간이 흐르면서 달콤하면서도 아련한 공허로 남는다. 이에 비해, 펄만의 바이올린 독주 샤콘느는 마음을 꿰뚫는 날카로운 단검이 됩니다.

하지만 이 멜로디를 연주하는 펄만의 표정은 자비롭고 따뜻하다.

불행의 아름다움이 멜로디를 따라 흐른다!

Gg (2011)

7) 창동골목

M에게!
잘 지내리며 믿으며
문득 마음에 떠오르는 말 몇자 적어 보내네.

마산의 구도심 창동은 나의 긴 삶의 여정 동안 부모님의 품 같은 곳이었네
먼 곳을 꿈꾸게 한 깃발이기도 하였네.
그 곳이 아니었다면,
지금 내 삶이 어땠을지 상상할 수 없네. 아니, 지금과는 다른 삶을 살았을 것이네.
덧없어나 매혹적인 이 글쓰기를 마음속으로만 동경하였을 것이네.

창동은 내게 단순한 공간을 넘어, 언제부터인지 내 글의 중심 주제가 되어버렸다네.
글쓰기는 내게 빛이 어두운 그림자 속으로 떨어지는 것 같은 특별한 행운이었다네.
글쓰기를 하면서 렘브란트 그림을 이따금 떠올린다네.
그 화가의 그림은 빛과 그림자의 대비가 매혹적이었네.

내 마음 속에는 은빛 해안과 검은 히말라야 시다 숲이 늘 대비적으로 자리잡고 있었다네.

은빛 반짝임의 소년기의 해안과 그늘이 깊은 청년기의 결핵 요양원이 그것이네

아마도 내가 렘브란트의 초상화를 좋아하는 것은 이러한 잠재적인 요인 때문일 것일세.

마르셀 프로스트(Marcel Prost)의 다음의 구절이 그래서 내게 솔깃하게 들린다네:

'진정한 글쓰기는

한낮의 밝은 대화의 산물이 아니라, 어둠과 침묵이 주는 생각의 산물이다.'

잘 지내게, 그리고 행복하게나.

GG

(2019)

8) 3월의 진달래꽃

K 님!

오랜만에 메일 드립니다.

오늘 마산의 교외 선산에 모처럼 찾아가

선조들 묘소에 이르는 길 주변의 잡목들을 낫과 톱으로 베었습니다.

마실 물도 준비하지도 않고 무심히 나섰습니다.

작업 중에 목이 말랐지만 그냥 참고 낫질을 해나갔습니다.
가시넝쿨을 베어나갔습니다.

갈증을 더 이상 견딜 수가 없어 하산하려다 문득 눈앞에 진
달래꽃이 보이기에

그 꽃송이들을 입에 넣었습니다.

의외로 갈증이 가시더군요.

내친 김에 길 옆에 핀 매화꽃잎도 따다 입에 계속넣었습니
다.

하산길에 길가에 지천으로 자란 쑥 새싹들을 좀 뜯어 배낭에
넣었습니다.

집에서 차로 끓어마시려고요.

숲길 고요가

영혼의 양식이 된 드물게 화사한 3월의 허루였습니다.

Gg

(2019)

9) 어느 새벽

K님 !

제번하옵고,

오늘은 마음에 담아 둔, 귀한 몇 구절을 두서없이 보냅니다.

' 젊은 날에는

강한 어깨와 수평으로 안정된 두 눈으로

평원을 내닫고 ,

늙어서는

혼자 숲으로 들어가

지난 삶이 원래 그 일부였던 대지로 돌아가는,

어느 아메리카 인디안 용사들……'.

안타깝지만, 그 다음 이어지는 구절도 그 작가의 이름도

지금은 잊었습니다.

나도 그런 삶과 마주할 수 있기를!

그렇게 열망한 적이 있었습니다.

또 다른 한줄은 아래의 릴케의 충고입니다.

"한 줄의 시를 쓰기위하여,

많은 도시,

많은 사람,

많은 책들과 만나야한다.

그리고 밤하늘에 무수히 반짝이는 별들과 함께

덧없이 사라진 많은 여로의 밤을 회상할 수 있어여한다. '

그리고

깊은 노년기에 이르러 읽은 아사 단토의 책,

'예술의 종언'에 나는 허무감과 깊은 충격을 받았습니다.

그 작가는 예리한 통찰력과 정연한 논리로,

이제는 회화와 조각은 더이상 아름다움을 말하지 않는다고

햇습니다.

이 시대에 이르러 예술은

고호의 '별이 빛나는 밤'이 주는 전율의 아름다움에서 벗어

나,

렘브란트의 초상화에 담긴 빛과 그림자의 신비한 깊이감에서 벗어나,

완전히 '무한한 자유' 속에 들어섰다고 말했습니다.

예술은, 의미없음의 영역에도 관심을 보이고

잭슨 폴록의 '물감뿌리기' 회화에도,

엔디 워홀의 '부릴로로 상자'에도

예술적 의미를 부여하는 시대에 들어섰다는 것이다.

이제 아름다움이 무엇인가에 대하여,

어떤 그림이 아름다운가에 대하여

누가 진정한 예술가인가에 대하여

더 이상 말하지 않는다는 것입니다.

예술은 마침내 종말을 고하였다고 말했습니다!

그렇지만 나는 여전히 도스토에프시키의 믿음

-미는 우리를 구해줄 것이다-를 믿고 있습니다.

Bye!

Gg

(2020)

10) Merry x-mas!

사랑하는 헬레나!

어떻게 지내시는요?

나는 단지 그대에게 안부를 전하기 위해 편지를 쓰고 있습니다.

뜻밖에도 어젯밤 꿈에서 그대를 두 번이나 봤습니다.

50대의 친숙한 얼굴이 나에게 다가오는게 아니겠습니까!

뜻밖의 만남에 너무 놀랐고 기뻤습니다.

우리는 한동안 말없이 서로를 껴안았습니다.

그것은 꿈이었습니다.

그리고 잠시 후

당신은 꿈에 다시 나에게 나타났습니다.

그러면서 나에게 작별 인사를 하려고 했습니다.

나는 당신의 한 손을 잡고 흐느껴 울었습니다.

그리고 꿈에서 깨어났습니다.

17년전 그대가 이곳 마산으로 날아와 플라멩코공연을 펼쳤던 일을 지금도 생생하게 기억합니다.

내가 본 플라멩코 춤 중에서 가장 아름다운 춤을 그대가 추었던 순간을!

그대의 춤을 반주해주었던 그 기타리스트는

한국 젊은이들의 애창곡 아침이슬을 플라멩코로 편곡했습니다.

그대가 그날 춤춘 플라멩코는,

더우기 그 기타리스트의 깊은 선율은,

'디어헌터'의 카바티나 테마곡만큼이나 아름다웠습니다.

아마 앞으로

나는 당신이 췄던 그 깊은 춤의 아름다움을 나는 볼 수 없을
것입니다.

지금은 새벽입니다.
꿈속에서 당신은 옛날만큼 행복해 보이지 않아서 슬펐습니
다..
며칠 있으면 크리스마스입니다.
행복하시기를!
Merry x-mas!!
Gg
(2020)

7. 단상

아래의 단상들 역시 나는 스스로 싯적 산문이라 부른다. 먼 여행지에서 전혀 예상치 못한 순간에 불쑥 머리에 떠올라 붙든 것들이다.

1) '보리수'

햇살이 숲길 위로 비스듬히 내린다.
입속으로 슈베르트의 '보리수'를 부르며
숲길을 혼자 걷는다.
그 길 저 편에 가면 나타날 바다를 생각하며
"성문 앞 우물 곁에
서 있는 보리수
나는 그 그늘아래 단꿈을 꾸었네.

가지에 희망의 말 새기어 넣고서
기쁘나 슬플 때나
찾아온 나무밑.
찾아 온 나무밑
·······..
————————

・・・・・・・
Ich schnitt in seine linde

so manches liebe vort

Es zog in freud und leide

Zu ihm mich immer fort.

・・・・・・

・・・・・・・

가지가 바스락거렸다.

마치 그들이 나를 부르는 것처럼:

나에게로 오라, 친구여,

여기서 당신은 평화를 찾을 것이다.”

2) 그림엽서

그림 엽서는 그 위에 글쓰게 하는 이상한 힘이 있다.

어떤 내용과도 잘 아울리고, 심지어 낙서까지도 동반하고 싶
어한다

그림 엽서는 그 위에 무슨 내용이 쓰이던 상관치 않는다.

그것은 빈 원고지가 불러일으키는 백색공포증을 주지 않는
다.

3) 포틀란드의 그레샴 언덕에서

이름 모를 꽃 위를 날고 있던 벌 한 마리가 이상하게도 땅에
떨어진다.

바닥에서 날개를 퍼덕이며 쓰러진 몸을 일으켜 세우려 한다.
하지만 그 노력은 매번 허사로 끝난다.

얼마후 가끔씩 다리를 퍼덕거리고 누워 있는 벌의 몸 위로
개미들이 모여듭니다.

아직 죽지 않은 벌을 꽃잎 위에 올려줄까도 생각했지만 소용
없을 것 같아 그냥 놔두었다.

4) 영혼의 허기

오늘은 앙드레 지드의 책 '지상의 양식'(Les Nourritures
terrestres)으로
영혼의 허기를 달래다.

5) J 화가의 그림 속 바다

그녀의 그림을 좋아하는 누군가가
그녀의 그림 속 바다는 검은 벨벳 같다는 말에
나는 구불구불한 황금빛 들판을 지나

그녀의 화실을 찾아 나섰다.

화실 앞 마당은 텅 비어 있고 잠겨 있다.

잠긴 문 너머 화실 안에 있다는 그녀의 그림 속 검은 바다가
궁금하다.

6) 고 의학도 손정민군의 학우들에게!

오늘은
고 손정민 군의 부모님의 애통함을,
멀리서 강 건너 불보듯 할 수 없어 이렇게 몇자 보낸다네.

지금은 그 어떤 말도 행동도 이미지도, 꿈도
아들을 불시에 잃은 어머니의 그 애통함을 표현할 수 없다
네.
하지만 때때로 하나의 외침소리가, 하나의 몸동작이 그녀를
그 애통함으로부터 벗어나게해주었다고 했다네.
그것은 ay ay,ay로만 이어지는 플라멩코의 시규리어 노래일
수 있으며,
그 소리에 애통의 마음을 맡기고 춤추는 식규리어 춤일 수
있다네.
사랑하는 아들을 잃은 집시 어머니는 그렇게 함으로써

자신의 절망감과 애통함으로부터 해방될 수 있다고 들었다
네.

지난 날 이 땅의 할머니들과 어머니들은
그 어떤 말로도 표현할 수 없는 그런 애통의 마음을
구음시나위로 달랬었어. 장터 마당에서 들려오는 그 구음시
나위 소리에 위로받으며
그 애통함을 견딜 수 있었다네.

누군가는 수평선 너머로 사라지는 바흐의 바이올린 솔로의
샤콘너 선율 또한
그 슬픔에서 벗어나게해줄 수 있다고 말했다네..
다시는 돌아오지않는 그 선율이 그런 한없는 슬픔의 표현일
수 있다는 것이라네.

고 손정민 군의 학우들이여 !
다시는 돌아오지 않을 아들, 그 맑은 표정, 그 총명한 눈빛
이
눈 앞에 아른거리 몸겨누운 채 물 한모금 삼키지 못한다는
그 어머니가 그 애통함을,
그대들로 인해 이겨낼 수 있게
뭔가의 젊은 지혜로 애써주게나.

시골의

한 노인으로부터.

7) 화가 제리코(Gericault)의 한마디

역경은 내면의 천재성을 불러일으킨다.

역경이 닥치면 평범한 재능은 이로 인해 실망에 빠지지만,

이와는 반대로, 그 역경은 천재성에게는 양식이 된다. 역경
은 천재성을 숙성시키고 고양시킨다.

평탄한, 그래서 쉬운 길은, 내면의 천재성을 동면상태로 방
치해버린다.

역경은 그 천재성을 분발시키고 고양의 열기를 불러일으킴으
로써

걸작을 생산케하는 것이다

8) 베낭속의 여심

커피 얼룩과 땀으로 찌던 베낭 속 메모 쪽지들 마다
노모가 계시는 집 마당의 가죽나무처럼 상처투성이다.

9) 나의 여행길

혼자 배회하는 낯선 도심의 골목길.
싸구려 음식점의 왁자지껄한 분위기.
피곤한 몸이 새우처럼 웅크린 채 묻히는 썰렁한 침상
드물게 얻은 바다빛 그리고 그 때의 충만감.
이것들은 나의 여행길에는 예나 지금이나 언제나 친숙하다.

10) 일기쓰기

나의 경우, 독서를 한다거나 일기를 쓴다는 것은 글 작업이
제대로 되지않는다는 뜻이다.
글작업이 제대로 되는 날에는 일기를 쓰지 않는다. 쓸 여유
가 없기 때문이다.

후기

글쓰기는 헛된 노력이지만 그래도 그 일은 너무 매력적이라 헤어나올 수가 없었어요." 나는 나 자신에게 이런 말을 자주 하곤 했다.

허기진 영혼을 달래기 위해 나는 끊임없이 책을 읽었습니다. 그리고 나는 글쓰기의 유혹에 이끌려 그렇게 살았습니다.

무엇보다 독서에 대한 갈증이 점점 내 안에서 사라지고 있다.

이제 이 원고를 마무리하려고 한다. 나는 40년 넘게 글을 써 왔지만 그것은 일종의 신기루를 쫓는 일이었다.

글을 쓰면서 이것이 헛된 일이라는 것을 깨달았지만, 그럼에도 불구하고 나는 이 글에 끊임없이 정신을 집중했고, 그 이외의 것에는 상대적으로 무관심하였다. 그것은 오직 한 가지 이유-글쓰기의 매혹- 때문이었습니다.

나에게 그런 삶이 주어졌다는 것에 감사한다.

특별히, 이 글의 영문 요지와 1960년 이래의 마음의 빚 영문의 글을 이 후기 다음에 덧붙인다. 나의 손자들-진희, 예원, 혜안-이 언젠가 보아주었으면 하는 마음에서 이다. 미국에서 태어나 그 곳에서 자라고 있는 손자 혜안이가 나중 우리말이 서툴 것으로 예상되어 그렇게 하였다.

다음이 그 영문의 글과 요지이다.

'다음'

3. debts in the heart since 1960

1.

There is one unexpected and precious moment in my life that I cannot erase. It's dinner time on a cold winter day in December 2010. It was at that moment that the now deceased Hong, Kim, and I met that evening at Obok Restaurant. That evening, the three spent an unusually long time there reminiscing about the past. Then, by chance, I brought up the story of Kim Yong-sil, who was shot dead by the police during the Masan March 15 Uprising in 1960. The hero was my close friend and class president. Mr. Kim spoke about him first:

"What on earth are you guys from Masan High School doing? It's already been 50 years since Kim Yong-sil, the hero of the Masan 315 Uprising, died, and none of you are holding a gathering to honor him. In particular, in high school, you, Gg, were close classmates with that hero. Just think about Masan Commercial High School, where I graduated. Don't you all know that the statue of our graduate Kim Ju-yeol, who sacrificed his life on the night of March 15, stands at the main gate of his alma mater? When people think of the 315 Uprising, everyone thinks of

Kim Ju-yeol, who died after being hit by police tear gas. However, no one knows about the martyr Kim Yong-sil, who shouted anti-dictatorship slogans more passionately than anyone else in front of the crowd of protesters that night. Surprisingly, he was forgotten even among the Masan people. You have been so indifferent until now. It's really sad"

And then he looked at me and made an unexpected suggestion:

"Hey Gg! You have had a performance experience once. A few years ago, you invited American dancers to Masan and presented a wonderful flamenco performance. So, you can hold an event like a memorial performance for martyr Kim Yong-sil. Can' t you?"

Mr. Kim's sudden suggestion also reminded me of my father's misfortune related to the Masan 315 Uprising, which was suddenly painful for me. I just listened to him quietly. Kim's words were followed by Hong's cool-headed Judgement:

"Your father must have had a very difficult time at that time. I heard that your father left Masan for a while. Your father's political judgment at that time was wrong. That was truly wrong. When Masan's opposition candidate was elected to the National Assembly in the General Election, your father should have remained in the opposition party.

However, unfortunately, Heo, who became a member of the National Assembly, and your father, who was one of his key advisers, moved to the ruling party right after that Election. How great was the sense of betrayal and anger of the people of Masan when the newly elected member of the National Assembly and your father moved to the ruling party for no clear reason!"

Returning home late that evening, I could not sleep until late at night. It was because I was heartbroken when I thought of my father. As a boy, I had relied on him for everything. Had it not been for him, I would never have graduated from college. If my father had not chosen the fateful wrong path at that moment, he would not have paid such a heavy price, and would not have passed away lonely in his 60s. By the way, However, if it had not been for the meeting with those two friends that day, the unforgettable <Masan 315 Martyr Kim Yong-sil Memorial Night> performance held in early March of the following year probably would not have happened!

That night, the three of us - Kim Jong-bae, Chairman of the 315 Memorial Association, Hong Jeong-Jo, Editor-in-Chief of Gyeong Nam Domin Ilbo, and me - talked a lot and drank until we got very drunk.

Anyway, the conversation we had without hesitation that

day while drunk was as follows:

Kim said, "How much does it cost for the performance? I'll pay some of the expenses first."

Gg said, "Really? It's a promise. Are you talking too loud today?"

Kim said, "I am serious."

Then Kim spoke as if reprimanding the two of us,

"I remember the situation vividly because I was at the forefront of the demonstration on the night of March 15th. Kim Yong-sil was a brave man who took the lead in protesting more than anyone else. Sadly, he was shot dead on the spot. "

And this time he looked at me and made a completely unexpected suggestion:

"Hey Gg! How about holding a memorial performance for Kim Yong-sil? I' ll add a little to the fund. I' ll give you USD. 2,500.00 won in cash."

When I returned home late that day, I couldn't sleep, lost in thought. I said to myself in the darkness,

"Yes, 50 years have passed by so indifferently. I must do it now. I will find a way to do a performance in memory of Kim Yong Sil. After all, this could be the way I pay off the debt I owe to my father. Maybe this will be my chance to repay the infinite debt I owe my father. And most of all, if I, as a close friend of the late Kim Yong-Sil, I don't take on this task myself, who will? I have to do this to free myself from the debt of mind."

???Meanwhile, the indelible heartache of that distant past came back to me again. On March 15, 1960, the night of the presidential election, a large-scale anti-government resistance demonstration took place in Masan. The demonstration was an explosion of pure righteous indignation against the government's fundamental election fraud. It was a pure and spontaneous anti-government demonstration. And there was one thing that was deeply related to this. That is, a few days before the presidential election, Heo Yun-Soo, an opposition member of the National Assembly from Masan, joined the ruling party. He drew public anger from Masan citizens for changing parties. They thought that it was clearly unjust.

Unfortunately, my father also chose the wrong path of turning his back on the citizens of Masan by switching parties to follow the elected leader. He had been a member of opposition party for a long time.

The presidential election fraud, which was blatantly planned by the government, led to a situation where many angry citizens poured out onto the streets that night, fiercely condemning the rigged election. In the anti-government struggle that night, about 10 students lost their lives, and in particular, Kim Yong-sil, who was at the forefront of the demonstration crowd, was shot dead by the police. Because of this, I was ashamed of my father, and saddened by the unjust actions of him. I couldn't sleep until late at night. I said to myself in the darkness:

"For now, I should just focus on planning for the event. That work is too important. And above all, it is an opportunity to repay the debt of my heart to both, my father and Yong Sil. I can't miss this opportunity"

Anyway, it wasn't that difficult for me. I had previously had the dancer perform in Masan. It was something I could do if I wanted to and if I could get some support for the cost of the performance."

In fact, the 'soju' that the three people drank a lot of that day caused something surprising. The drinking party that day gave birth to a memorial performance for the late Kim Yong-sil. In other words, the outspoken words at the drinking party surprisingly materialized into a performance event in memory of Kim Yong-sil.

Five years before that, I had already planned and successfully organized a flamenco performance, so the plan for the event was already underway in my head. At that time a flamenco dancer named Helena, I invited to Masan, performed two performances in Masan and Haman for the first time, by which people were greatly fascinated. Helena and I have been emailing each other since they first became friends in the United States in 2001. So we began exchanging emails about the memorial performance.

2.

December,2010

Dear Helena

Hello, I'm Gg.

I would like to make an important request to you.

Last night, three friends gathered together to discuss holding a memorial performance for the martyr Kim Yong-sil. The hero was a classmate of mine, as a high school student, who was shot and killed by the police during the Masan 315 anti-dictatorship uprising 50 years ago.

I'm hoping you'll come to Korea again and dance flamenco for that event in early March next year. The event must be held before March 15th. This was a sudden decision.

I expect you to play with a guitarist here, just like you did in my hometown the other day. And I expect Cantaor or Cantora to come with you. But what I want to tell you honestly right now is that memorial performances are planned with minimal cost.

Looking forward to your immediate reply
Waiting for your immediate reply,
Gg

But to my great disappointment, she sent me an unexpected reply Below:

.

Dec. 2010
Hi, Gg.
Nice to meet you. And that's a great idea. I want to go dancing again in Masan. But unfortunately, I have a set date to go to Guatemala, South America, in March next year. As you know, I decided to have an adopted child. Paperwork for that work is in progress. We plan to meet the family of the child we adopted in Guatemala and take them there in March next year.

I think the March commemoration event is not only truly meaningful for you, but also a good idea for flamenco itself.

So I would like to make a suggestion. How about holding that memorial event in May? I will be able to attend then. Is that possible?

Awaiting your reply,

Helena

Jan. 2011
Dear Helena!
Yes, I understood it.
I hope you have a good trip to Guatemala. What could be more important to you than the adoption process right now? Congratulations on the fact that you now have a beautiful daughter. Then I'll contact you again.
See you
Gg

For a while I was at a loss what to do at the news that she could not fly to Masan but I calmed down after deciding to find an alternative for her in Seoul.

Even though Helena could not participate in the memorial event, I decided to hold the event with flamenco dancing as the centerpiece. This was because I was confident that flamenco dance would not only be suitable for commemoration, but would also be sure to leave a deep impression on the people of Masan once again. I immediately searched the internet for flamenco dancers in Seoul.

Finally, I chose one of the dancers I liked, sent her an email, and took a train to Seoul to meet her on a snowy day with no time to catch my breath. So, the moment I met her in person, I liked her, and after asking her a few questions, I proposed to her on the spot and received a promise from her to appear on the show. I proceeded with the task at lightning speed.

Jan. 2011
Dear Nadine.
Hello,
This is Gg, preparing for a memorial performance at Masan.

I'm planning to visit you next Monday afternoon.

I would like to offer you to appear on it.

What time in the afternoon would be convenient for us to meet?

I am to arrive in Seoul by train around 2 PM
Gg

Jan. 2011
Thank you for offering me a role in the performance.

As you asked, I am attaching my photo and a letter of introduction about myself.

By the way, we will think more deeply about the plan for performance composition you sent us. I will select the 3 pieces of flamenco dancing, and let you know within this week.

See you.

Nadine

Feb. 2011

Dear Gg!

I'm having a hard time choosing songs.

As the first stage dance, I selected Siguiriya (7 minutes and 10 seconds), which expresses resistance and pain.

The second is the traditional Solea,

and the third song is Alegrias, known as the "queen of flamenco dances.

The encore dance is 'Boulerias' set to Palmas and it will take about 2 minutes.

If you have any questions or concerns about the above pieces I am to select,

please email me.

bye!

Nadine

Feb. 2011

Okay! As far as the flamenco dance part of this memorial performance is concerned, I will leave all matters entirely up to you. We will allocate about 20 minutes or so for your three dances. For your reference, the performance was set to last a total of 90 minutes.

The audience will be about one-third students, so we plan to make sure it does not exceed 90 minutes.

See you

Gg

Thanks to the support of everyone who remembers Kim Yong-sil, the memorial performance was successfully held in the hall on March 11th, with flamenco as the main focus. One notable feature of this event was that it was to be funded entirely through voluntary donations.

The seven promoters of the performance, including the three people mentioned above— Kim Jong-Bae, Hong Joong-Jo, and me— decided to raise the cost of the performance entirely out of their own personal funds, that is, through donations from their friends.

Then, why flamenco dance? because the content of the memorial performance was strangely centered around flamenco. It was not easy for most of them to accept it for the cause for it. Many promoters were concerned that serious audiences would not agree to a memorial performance with unfamiliar flamenco dance. If this event had been decided to be held centered around the traditional Korean dance 'Salpuri', everyone would naturally have received it more favorably.

They decided to leave the performance plan entirely to Gg. First, preparations were made immediately with the $2,500.00 donated by Kim Jong-bae, who actively encouraged me to perform a memorial performance. The following year, in mid-January, the three had dinner again. This time, Kim Yong-sil's classmates Kang Shin-Pyeong, Park Yong-Woo, and Park Jin-Hyung additionally joined the gathering, and Gg got their approval for his draft plan of the event. Luckily, Gg discovered a talented flamenco dancer named Nadine in Seoul. And it was decided to put Masan High School's choir on stage for the performance. This was because the late Kim Yong-sil led the demonstration as a student at Masan High School on the day of the Masan 315 uprising. The purport is as follows:

This memorial performance, was to honor the cause and courage of Masan High School student Kim Yong-sil, who was one of the dynamic elements of the Masan March 15 Incident. He sacrificed his entire life against injustice. We experienced pride and sadness in our hearts thanks to his strong resistance, and Masan became a shrine to the righteous hearts of this era through the sacrifice of that young man and the concentrated youthful righteous indignation of that day. Now that we are celebrating the 51st anniversary of that day, those of us who are alive and well are saying to Kim Yong-sil, and further, to all the warriors who sacrificed that day, I owe a huge debt that I can't repay with anything. In that sense, this memorial performance is also a part of the debt of heart that those of us who remain must return.

As mentioned earlier, this event started with flamenco dance as the centerpiece, following Gg's plan from the beginning. Most of all, preparations were made immediately with the fund of $2,500.00 donated by Kim Jong-bae. Before this event, Gg explained the characteristics of this dance to friends who were not familiar with flamenco.

According to Gg, flamenco originated as a way for Gypsies to express their anguish and despair. Flamenco, as is commonly known, is not simply a festive pastime. The dance is tragic- or, by reaction, festive. It is the expression inside you of your happiness or sorrow. Any dance that is essentially solo is also introvert, since the dance is not relating to anyone else. The downward direction of the eyes reinforces this, shutting the dancer inside herself. He explained it further: This performance is far removed from the folk singing and dancing we are used to. A completely different set of esthetics is operating here, one in which expressiveness has a higher value than the concept of 'beauty' as we know it. Flamenco is an expression of anguish and desperation

Gg emphasized that that this first memorial performance should be a valuable opportunity to inform Masan citizens who do not know much about the martyr Kim Yong-sil about what kind of person he was. To this end, he said, flamenco should be the center of this memorial performance. He reminded his friends that in the winter of 2005, he had performed in Masan and Haman based on American flamenco dancer Helena. He was surprised to see, he said, that local people, who were seeing flamenco dance for the first time, were deeply fascinated by the dance and atmosphere. So, he said that he was confident that if flamenco dance was performed at this memorial stage, the audience would all be moved by the dance.

For your information, Gg said further, there are siguiriya and solea among flamenco dance. Both of these dances express the pain of gypsy life, and there are some differences in the qualitative elements contained in the dance. If the former is a harsh breath of pain and a living flame of silent anger, as can be felt in Van Gogh's portrait paintings, then Solea is like the morning dew of sadness, as can be felt in the heavy-toned paintings of the painter Rouault.

Flamenco, he continued, is a profoundly intimate art, which is what differentiates baile from classical ballet. The movements of the two are exactly the opposite. Ballet takes to the air, seeks to be light, almost weightless in its movement and to hover by using spectacular gymnastics, while flamenco dancing is concentrated downward toward the ground, the most intense energy right on the spot, to the earth. Psychic energy is transformed into physical energy; catharsis is achieved in flamenco when body and earth are joined.

3.

Regarding the memorial performance in honor of the aforementioned martyr Kim Yong-sil, below is an article published by Munhwa Ilbo, a daily newspaper in Seoul, on March 11, 2011:

The elderly gentlemen, who were about to turn 70, raised money to commemorate their high school classmates who were killed by bullets during the March 15 Uprising in 1960, and prepared a memorial performance for the first time in 50 years. About 40 students from the 21st class of Masan High School, Masan, are the gentlemen.

They will hold the '315 uprising Memorial Night for Martyr Kim Yong-sil' at the small theater of the 315 Arts Center in Howon-Gu, Masan, Changwon-Si at 7:30 pm on the 11th. Kim Yong-sil (17 years old at the time), who was the leader of the second class of the first grade at Masan High School, died of a gunshot wound to the head in front of the Buk Masan police station while protesting against the rigged elections of the SungMan Rhee regime on March 15, 1960.

In the Masan 315 Righteous Uprising, which led to the nationwide April 19 Revolution, 12 young people were killed and over 250 people were arrested, detained, and tortured.

The 21st class of Masan High School sent Yong-sil to the other world first and lived with a debt of gratitude, but driven by the reality of life, they buried Yong-sil in a corner of their hearts and sometimes pretended not to notice. However, every time they sat down for a drink, his face came to life, and his sacrifice and courage warmed their hearts.

51 years after Yong Sil passed away, G, who had been a friend since middle school, thought that a memorial performance should be held for him before it was too late.

So, at the end of last year, he planned a memorial performance with four of his friends, including his high school classmates Kang Shin-pyeong, Park Yong-woo, Park Jin-hyung, and Lee Kang-bok. When news spread that a memorial performance for Kim Yong Sil was being prepared, about 40 of the hero's classmates living in Changwon poured out their pockets and sent money, saying they would all help with the event. Kim Joon Hyung, who was in charge of planning and directing this performance, said, "Yong Sil sometimes made our hearts flutter and sometimes made us ashamed." he added, "It's late, but I want to elevate this event into art and leave Yong Sil in our hearts for a long time."

The performance began with the flamenco dancer's flamenco solo dance, depicting the pain of the gypsies and their silent gestures of resistance, and Lee Kang-bok, a 21st class member from the MBC Orchestra, performed Masan's song 'Gagopa' as a saxophone-guitar duo with Seok Sang-jo, from the KBC Orchestra. d Next, tenor Hwang Young-il, a member of the 21st class with the Masan High School student choir go on stage and sing 'Masan High School's Song'.

-Reporter, Park Young Soo-

And the following is the summary of an article published

186

on the front page of the March 8th issue of the GyeongNam Newspaper:

"Let's do something meaningful for Yongsil before it's too late." Thinking of a classmate who died from a police bullet during the March 15 uprising, his friends from that time set up a memorial stage. On March 15, 1960, Kim Yong-sil, the class leader of the first year and second class at Masan High School, who was at the forefront of the student demonstrations, died after being shot in the head in front of Mongo Jung(Well) located in Jasan Dong. His friends, who are approaching 70 years old, have lived with a sense of indebtedness to Yongsil, even though they have not expressed it in words until now. The guilt of the survivor has been in their mind. 51 years after Yongsil's death, Kim Jun-hyung (68), a friend since middle school, planned a memorial performance with Kim Jong-bae, former chairman of the 315 Memorial Association. It was a pity that Yongsil, who had a lively and proactive personality, was sent away so early, and that his death was not properly known to the world. Accordingly, Kang Shin-pyeong, Park Yong-woo, Park Jin-hyung, and Lee Kang-bok, who were in the same class, joined in and became promoters of the event. In order to reflect on the meaning of remembrance, the main content of the performance was 'Flamenco', a gypsy dance that embodies resistance, sadness, and sublimation. Friends emptied their pockets for free performances. And meaningful people generously offered support and advice. The 'Kim Yong-sil Memorial Night - Flamenco and Saxo-Guitar Duo' prepared in this way will go on stage at Masan 315 Arts Center at 7:30 pm on March 11th."

Kim Yong-sil memorial performance was held, as scheduled, at the Masan 315 Arts Center Small Theater at 7:30 pm on March 11, 2011. Surprisingly, the audience overflowed the 600 seats. There were quite a few people standing in the back. Following a greeting of the Masan High School's 21st alumna's president, the flamenco dancer Nadine appeared before the audience. Since the audience had already received the performance program upon entering, they knew that the first performance was a flamenco dance and were watching with curiosity, holding their breath, wondering what kind of dance it was. The entire audience focused their attention on the dancer, dressed in exotic costume, standing motionlessly on stage under a spotlight with her eyes cast down. Behind her, stood two more dancers for rhythmic hand clapping. Her movements were beginning to the introductory 'falsetas' made by the guitar.

The dancer was moving with soft clapping and after that,

she had her arms held out from her body, concentrating intensely on the guitar sound. She lowered her raised arms to her sides in a semicircle and then raised them to her breast, only to lift them in the air again. She held her wrists loosely as her hands executed these circular motions. The audience's attention was focused on the 'floreso' she made (movement of her hands and fingers). Although the dancer now opened her eyes, she seems to be looking through the audience into her own soul.

She was making more dramatic movements than Gg had expected. With an elegant movement she stamped her foot and gradually abandoned herself to the deep intensity of the 'siguiriya'.

For a moment, Gg remembered Helen's dance when she had come to Masan to dance four years earlier. Her dance, which was taller than Nadine, had a deeper resonance than Nadine's. On the other hand, Nadine, a Korean dancer, captured the hearts of the audience with her outstanding beauty. She showed off her zapateato, (heel and foot stamping), to the fullest and enthralled the audience.

As soon as about 7 minutes of her time on stage of flamenco ended, the spectator gave thunderous applause and encore sounds erupted from all directions.

Next, an unknown street guitarist was selected by Gg in

Chang Dong performed 'Spanish romance' and 'Bimok' (Korean famous song), leaving the audience immersed in a feeling of calm sadness. Those two pieces were songs that Gg had specifically asked him to play.

And then the flamenco dancer appeared on stage again dancing two pieces, one by one. for 15 minutes. Everyone on and off the stage in the theater was in perfect harmony and the theatre was filled with the excitement of her dance. In order to calm down the audience's excitement and introduce the next stage, the female Em Cee of the night's event briefly stood in front of the audience:

" Everyone, I appear before you again for a moment. Isn't the flamenco dancer's stage fascinating? It's taking your breath away, isn't it? Now, I will introduce the stages that will follow one by one. First, the saxophone-guitar duo will be performed by lee Gang Bok, saxophonist, graduate of the same school and guitarist, Seuk Sang Jo and his friend. The two will play two pieces, of which one is 'Danni boy and the other 'Gagopa'(I wish to go), a favorite of Masan citizen. And Next, a choir of 30 students will sing their 'school song' passionately under the direction of Whang Yong Il, a 21st graduate. In particular, Gg, the stage planner and director, will go on stage with two current students and an amateur guitarist from Chang Dong to sing 'Whispering Hope' Please give enthusiastic applause to the continued stages."

When the saxophonist and guitarist finished ' Danny Boy', the audience applauded enthusiastically. When the audience asked for an encore, the two played the song 'Gagopa'. That was the end of the 90-minute performance that day. All of The dancers were happy with the number of spectators and the excitement in the audience. Immediately after the performance, all performers came to the audience to express their gratitude, and the audience applauded them enthusiastically. Gg, who had been preparing for this event, was particularly deeply moved.

This memorial performance continued every year up to three times. The first memorial performance, which attracted a lot of public attention, was naturally followed by a second performance at the 315 Arts Center the following year. The title of the second performance was '315 Kim Yong-sil and Kim Young-jun Memorial Performance'. Additionally, an invitational exhibition was held at the same time to raise funds for this performance. The works of three invited artists, Kim Bok-nam, Yoon Bok-hee, and Lee Jeong-nam, were displayed at the Masan Chamber of Commerce exhibition hall.

And for the purpose of promoting this memorial performance, a lecture was held on March 20, 2013 in a small auditorium at Kyung Nam University on March 20, 2013 under the theme of 'Expressionist elements of pansori and flamenco' and attracted the attention of university students. The presenter on this day was Gg, who had planned and supervised this event for three years. The summary of his lecture is as follows:

Korean traditional pansori and Spanish gypsy flamenco are performing arts belonging to different cultural spheres, but they have many similarities in their creation and expressionistic elements. Both are arts that are passed down orally rather than in writing. Just as pansori is the sound transmitted through the mouth of a singer, flamenco is also the sound and gestures of gypsies transmitted orally. Just as pansori was the song of wandering singers from the southern coastal region of Korea, flamenco was also inherited and developed based on the gypsy tribes of the coastal region of Andalusia, Spain. Both arts are expressionist arts that contain sounds and gestures of a rough and pure soul rather than decorated with wit or technique. Both refuse to hide their inner selves behind a mask of beauty. Just as the sound of Pansori is not a beautiful and elegant song but a rough and deep song, the sound and dance of flamenco are also an expression of a rough and deep soul.

After the third memorial performance, Gg put down his duties of performance planning and directing. The Masan High School Alumni Association has now decided to take over that task. Looking back, the memorial performance over the past three years was the most valuable event in Gg's life and a calling he should have taken on. For reference, in relation to these memorial performances that have been held for the past three years, the Masan High School Alumni Association awarded Gg a plaque of merit

for his dedicated efforts as the initiator and planner of this performance. Below is the content:

As the promoter of the 315th Movement's Kim Yong-Sil and Kim Yeong-Jun Memorial Art Festival, you have contributed greatly to publicizing the cause and courage of the two martyrs' deaths to future generations through dedicated efforts since 2011 and to raising the spirit of Masan High School men. On the occasion of the general alumni meeting, we present this plaque as a tribute to our alumni for their contributions.

April 11, 2014

Ahn Hong-jun,

Masan High School Alumni President
(5월9일, 2024)

Summary

This text is the personal memoir of the character Gg. 'I' , or Gg, the first person character in the text, continues this creative nonfiction by weaving together precious things floating around in his memory. The story is overall based on facts, but because it is from memory, it inevitably contains fictional elements:

The silver-glittering morning sea at the beach in front of my childhood home,

After suffering a long illness for four years in a tuberculosis nursing home in my 20s,

The story of paintings by Changdong painters in Masan,

A solitary literary journey towards the topic 'How to write free prose with rhythm' ,

The shock given to him by the truth of the trend of modern painting expressed by Arthur Danto in his book 'After the End of Art' ,

and the expressionistic flamenco art of the Andalusian gypsies.

So to speak, the composition of this prose style, which

freely connects the things that flicker in Gg's memory, free from the flow of physical time, has an internally organic form, although it is not a classical novel style with a dramatic progression.

Therefore, it is okay to view this article as a novel or as a personal essay. In particular, the last chapter of Part 1 of this article took the form of a play script under the belief that it would be more appropriate to compose it with dramatic elements.

This book is divided into two parts. The first part, as mentioned before, is a product of Gg's memory. It is so-called creative non-fiction. And in the second part, I included my thoughts and experiences about what kind of writing suits me and how to write it.

Strangely, his memories of the distant past are more vivid than his relatively recent experiences. This is especially true of the silver-glittering morning sea that I encountered day and night in the yard of my home as a boy, and the hopeless struggle with tuberculosis at a tuberculosis sanatorium in my 20s.

Lastly, even though the author knew the ephemerality of writing, he was helplessly caught up in its fateful fascination.

"Writing is a vain effort, but it was so fascinating

that I couldn't get away from it." I used to say this to myself often.

To appease my hungry soul, I read constantly. And I lived that way, guided by the temptation of writing.

As I have been writing, I realized that this was a futile effort, but despite this, I focused my mind constantly on this writing and was relatively indifferent to everything else. It was for one reason only. That was the fatal charm of writing.

Author background

Joon Kim is the author of Landscapes Invisible (Author House, 2020), Farewell Party (Europe Books, 2021), and Journey into Deep landscape (AuthorHouse, 2023), which are creative non-fictions. He is a writer and flamenco performance planner, doctorate in international politics, lives in Masan, South Korea, where he was born in 1944. He has written eight literary books in Korean and 3 translated four English books into Korean. He worked for Kyung Nam Domin Daily as an editorial writer (1999-2001) (Kyung Nam Do province). He produced and directed five flamenco pansori performances (2005-2013). He published a series of books titled " Chang Dong in Blue" in Seoul and Masan from 2004 to 2019, which are creative non-fictions In Korean.

Author's Publication history

The books written and published by Joon Kim from 1988 to 2023 are as follows.

a)   Translation (into Korean)

1988, The Rise and Fall of Det'ente, Richard W. Stevenson, published by Chang Moon Gak (Seoul)

1989, Cold War or Det'ente in the 1980s, peter Savigear, published by Chang Moon gak (Seoul)

1993, CaféSociety, Steve Bradshaw
    published by Book world Publishing Company (Seoul)

b)   Creative non-fiction in Korean

1995-2019, Chang dong in Blue series, creative non-fiction book, Good Soil Publishing (Seoul)

2000, Magic Flute prose collection, Dosu Publishing Company (Masan)

2002, Travel and Deep Song, Prose Collection, Dosu Publishing Company (Masan)

2011 Well of the Past, Creative Nonfiction, Good Soil Publishing Company (Seoul)

c)   Creative non-fiction in English

2020, Landscapes Invisible, Joon Kim
Publisher: Author House (Bloomington, IN)
2021, Farewell Party, Joon Kim
Publisher: Europe Books (London)
2023, Journey into Deep Landscape, Joon Kim
Publisher: Author House

저자 약력;

경남 마산

1944년생

마산고등학교 21기

연세대 정치외교학교 졸업

경북대 대학원 졸업

국제정치학 박사

경남도민일보 전 논설위원

플라멩코 공연기획가

번역 및 저서: 미.소데땅트. 1980년 미소관계. 카페 소사이어티.

원시미술과 현대미술. 구강의 바다. 여행 그리고 깊은 노래.

플라멩코 이야기. 과거의 우물, 미인도 화가 김대환, 창동인블루

Landscape Invisible(AuthorHouse 2010),

Farewell Party(EuropeBooks2021)

Journey into Deep Landscape(AuthorHouse2023)